Chroniques du Palais

à Louise,
toi qui sais contempler,
écouter les oiseaux.

Bonne lecture.

[illegible]
8 novembre 2003

JEANNINE LALONDE

Chroniques du Palais

Roman

ÉDITIONS LE GRAND FLEUVE

Données de catalogue avant publication (Canada)
Lalonde, Jeannine
Chroniques du Palais : roman
ISBN 2-922673-01-4
I. Titre.
PS8573.A383C47 2000 C843'.6 C00-941279-4
PS9573.A383C47 2000
PQ3919.2.L34C47 2000

Éditions Le grand fleuve
565, 4e Rue
Laval (Québec)
H7V 1K7
Téléphone : (450) 681-6723
Courriel : lberth@axess.com

Illustration de la première de couverture : aquarelle de Philippe Berthiaume

Photographies intérieures : Étienne Berthiaume

ISBN 2-922673-01-4

Dépôt légal - Bibliothèque nationale du Québec, 2000
Dépôt légal - Bibliothèque nationale du Canada, 2000

À Madeleine Gagnon,
qui m'a la première encouragée
à ébaucher une galerie de portraits

« Je suis un accoutumé
des paysages et des émotions [...] »
Robert Lalonde
Le Devoir, 7-8 mars 1998

Un monstre noir, friand d'écorchés vifs, monte la garde à trente mètres de ma fenêtre. Gueule grande ouverte, rue Saint-Antoine. Regard borgne, boulevard Saint-Laurent. Ouverture hypocrite, rue Notre-Dame. Subterfuge, Allée des huissiers. Il pompe l'énergie à la ronde. Absorbe et broie tout semblant de vie. Toutes couleurs, toutes croyances confondues.

L'affreuse bête dévore conscrits et prévenus qui l'approchent. S'ils réussissent à lui échapper, ils se retrouvent méconnaissables, défaits, démolis. Je les vois qui se hâtent, titubent, courent bras levés vers le soleil couchant, la montagne, le Nord. Je les sens terrorisés, anéantis. Parfois moribonds.

Le monstre engloutit des âmes et évacue des zombies. Je suis devenue l'un d'eux.

Un jour j'écrirai tout cela.

Ma vie gravite autour de l'horrible. Par moments, je réussis à fuir mon tortionnaire, à sortir du cercle vicieux. Mon bourreau de travail me capture de nouveau, m'astreint à peiner en ses murs. Ses murs de prison gris froid. Gris effroi.

Mon monstre se nomme Palais de justice de Montréal.

À titre de sténographe officielle, je recueille des témoignages, je traite des mots, des millions de mots, chauds, cassants. Les histoires des autres. Je rapporte leurs phrases, vraies ou fausses ; je les transcris fidèlement à l'intention de ceux qui plaident et de ceux qui jugent. Un jour, j'inventerai un système de ponctuation pour les soupirs. Je transposerai par écrit les appels à l'aide des témoins, en suspens entre leur regard et le mien.

Mon rôle me commande de suivre les phrases, le rythme aussi. Le rythme de l'avocat qui tourmente et celui du déposant qui manœuvre pour éviter les pièges. La tension ambiante et les échéances serrées me bousculent. Travail technique. Je n'ai pas à prendre parti. Mon point de vue ne compte pas.

De cet angle particulier, du bout de ma lorgnette, je veux cristalliser des images du milieu judiciaire qui s'agite autour de moi. Je prends la liberté de décrire, dans mes mots et comme je l'entends, les scènes furtives qui m'émeuvent ou me heurtent. Je me donne le droit de réorganiser le mot à mot d'autrui à ma manière, de faire éclater les marges, les murs, d'effacer les codes prévus.

Je, Florence D'Aoust, sténographe officielle, prends le risque de déraper en séquences « hors dossier » inutiles aux débats judiciaires.

Le cœur de l'Italienne à la toque, dont je recueille le témoignage, bat si fort que je le vois palpiter sous le coton frais de sa blouse. J'aimerais la rassurer.

Rosa Santorini évite le regard de l'avocat qui la questionne. La figure émaciée, elle fixe l'interprète dans les yeux. Celle-ci traduit les dires de l'Italienne, consciente de son rôle de bouée de sauvetage pour cette femme d'un autre âge, d'une autre langue, d'un autre continent.

Rosa veut tout raconter. Elle réfléchit à haute voix, parle, parle. Elle oublie de laisser à l'interprète le temps de traduirc lc flot de phrases enchevêtrées. Elle confond tout : les faits, les sentiments, l'ouï-dire, les longues rationalisations. Un minestrone de mots. La traductrice doit la supplier de respirer entre les phrases.

La soupe tourne au vinaigre quand l'avocat enjoint Rosa d'examiner des photos et de reconnaître l'intérieur de sa *casa*. Car il s'agit bien d'une intrusion dans sa maison, dans son domaine privé.

Transgression d'un règlement municipal. La Ville a procédé à la saisie du contenu de la demeure. Et quel contenu ! Un fouillis indescriptible du plancher au plafond. Des centaines de paires de chaussures, chaudrons cabossés, outils, papiers, objets hétéroclites, machines incertaines. L'envers et l'endroit des petits et grands moments de la famille immigrée. Pêle-mêle parmi les machins et bidules récupérés par son mari dans les ruelles du quartier.

Rosa tente d'expliquer ce ramassis gigantesque qui encombrait plusieurs pièces du logement. L'avocat lui soumet d'autres photos : le jardin enseveli sous des piles de bois aucunement alignées, hautes d'un étage. Beaucoup d'ombre dans une cuisine, de même que dans un dossier de cour. Un incendie dans un tel décor aurait pu virer à la déflagration et emporter Pointe Saint-Charles au complet.

Rosa répète ce que son mari a déjà exposé avec beaucoup de conviction devant les autorités inflexibles : « Le bois, comme le pain ».

C'est qu'il en faut des tonnes pour chauffer la maison l'hiver. Son mari a ramassé planche après planche et tout transporté sur son dos, explique-t-elle en mimant la fatigue de son vieux.

Depuis que la Ville a fait disparaître le bois qui débordait jusque dans la ruelle, le mari de Rosa a récidivé. Inlassablement, comme un écureuil, il entasse. Elle l'admet candidement. Le bois, comme le pain. Vital.

Quant au marché aux puces de sa maison, Rosa livre ainsi l'explication : « Trop de travail et trop de souvenirs ».

La pure vérité. Je soupire d'aise et me retiens de sauter au cou de l'Italienne à la toque. « Trop de travail et trop de souvenirs. » Musique à mes oreilles. Cette simple phrase m'allège de tous les remords, résultats de ménages bâclés et rangements reportés. Désormais, je souris aux *minous* sous le lit. Et je sers souvent du minestrone à la santé de Rosa.

Il y a des jours où j'ai pitié des grands savants. Dans les dossiers judiciaires, on a recours aux sommités dans les domaines les plus pointus, à titre d'experts. Leur opinion appuie les allégations de la partie qui requiert leurs services.

L'expert témoigne depuis deux jours dans cette cause à propos d'un brevet d'implant cochléaire présumément copié.

Il n'a pas encore digéré le décalage horaire Melbourne-Montréal. Il n'a pas l'habitude des contre-interrogatoires serrés, qui ressemblent plus à un match de boxe qu'à un échange cordial d'académiciens. Il a dû se taper, la nuit dernière, plusieurs heures de lecture de témoignages. À l'aube, dans sa chambre d'hôtel, il recevait à l'écran de son portable document par-dessus document. Au même moment, les avocats de la compagnie qui commercialise les implants cochléaires l'entretenaient en d'interminables conférences téléphoniques. Bref, pas le temps pour le tourisme. Les enjeux de la cause, plusieurs millions de dollars, reposent sur son dos.

Impossible de luncher avec un ex-collègue chercheur qu'il vient de rencontrer dans la salle d'audience. Le juge le contraint au silence : aucun contact avec les témoins de cette cause avant la fin de son propre témoignage.

Le professeur chercheur, ingénieur en microélectronique biomédicale, trouve le juge increvable, les avocats tortueux, les traducteurs stressés, les sténographes extraordinaires. Le décorum et le sérieux des travaux de la Cour l'impressionnent. Il fait de son mieux dans la boîte aux témoins, vulnérable aux attaques sournoises de la partie adverse, qui ne s'en prive pas.

À la question : « Quelles sont vos conclusions et pouvez-vous émettre une hypothèse à supposer que les condensateurs de couplage de l'implant n'ont pas récupéré les erreurs de programmation et que la stimulation par paire-site ne s'est pas faite séquentiellement ? », l'expert répond : « Je conclus que je n'en peux plus, je demande grâce » et s'étend, épuisé, sur le tapis de la salle d'audience numéro 306 de la Cour fédérale du Canada à Montréal, vue sur le Vieux-port. Procès ajourné *sine die*.

Alain Desgagnés, demandeur, contre *La protection compagnie d'assurances*, défenderesse.

Alain Desgagnés, 44 ans, vit à Saint-Denis-sur-Richelieu. Un morceau de bois le laisse maintenant indifférent ; ni les nœuds bien placés ni les veines à accentuer n'ont d'importance. Il n'a plus envie de fabriquer une pièce de mobilier pour plaire à un éventuel client.

Les mains d'Alain Desgagnés ne guident plus avec dextérité les longues planches vers la scie circulaire. Ses bras ne font plus les gestes longs et lents du sablage, ni ceux de l'assemblage ni ceux du collage. Le casse-tête des tenons et mortaises ne l'attire plus.

Alain Desgagnés reste maintenant prostré à regarder couler la rivière, jour après jour, comme s'il espérait percer un mystère.

Il a vendu, pour ainsi dire donné, ses outils, ses tours et ses toupies. Il s'est débarrassé de nombreuses pièces de bois de pin, d'érable, de hêtre et d'acajou. Ça ne sent plus l'huile de lin ou la cire d'abeille quand on pénètre dans son atelier, ces odeurs qui donnent envie de toucher, de réchauffer le cœur du bois. De se réchauffer au creux du cœur du bois. Désormais, plus personne ne fréquente son atelier, sauf les mulots et les araignées.

Alain Desgagnés ne crée plus. Un des meilleurs artisans de tout Montréal, il avait atteint le sommet de son art après des années de labeur. Chaque automne, on attendait avec impatience ses créations au Salon des métiers d'art. Des meubles travaillés, poncés, fignolés avec amour et grand talent.

Il ne travaille plus depuis le matin où une infirmière lui a fait une prise de sang. Formalité de routine. Pour une police d'assurance-vie, au cas où, les enfants. La piqûre a fait mal, étrangement. Le bras droit, le plus habile, ne répond plus. Médicalement inexplicable.

Alain Desgagnés a intenté une poursuite en dommages-intérêts. Ou plutôt on l'a incité à le faire. Pour la troisième fois depuis l'incident fatal, il regarde les glaces descendre la rivière. Les flots du Richelieu, leurs teintes, leurs courants, leurs remous, sont devenus son seul intérêt. Cela dure depuis trois ans.

La seule chose qu'une cour civile peut régler dans un tel cas : évaluer la perte et condamner un responsable à payer par l'intermédiaire de sa compagnie d'assurances.

J'entends au Palais des histoires tellement tristes.

Dans mon métier, les procédures roulent vite. C'est par bribes, par éclats que je prends connaissance des dossiers. Je n'entends qu'une infime partie des histoires de cour. Mon agenda me dit que demain je travaille ailleurs, dans une autre atmosphère. Les portraits que j'ébauche tiennent plus de l'esquisse ou du flash impressionniste que du récit factuel.

Cette jeune notaire possède un charme fou. Blonde aux cheveux souples, son front haut et ses cils donnent à son regard une profondeur rare. Portant la cape comme pas une, elle ondule en mouvements gracieux. Elle s'exprime aisément, mais sa voix laisse deviner une certaine tension. Je découvre vite pourquoi : intimée dans une poursuite de la Chambre des notaires, elle est chargée d'une douzaine de chefs d'accusation contraires aux règles du Code de déontologie de sa profession. Un brillant jeune avocat de Québec assure sa défense.

Tout au long de la journée d'audition, documents et témoignages s'accumulent. La notaire agissait dans des dossiers mettant en jeu plusieurs millions de dollars et transigeait avec des clients de qualité.

Témoignage après témoignage, le rusé procureur du plaignant échafaude sa preuve. Une brique à la fois, il bâtit son château. Le Comité de discipline a sous les yeux une construction sans bavures. La preuve démontre avec clarté et consistance les failles dans le travail professionnel de la notaire. La fraude apparaît, brillante, subtile, aussi évidente qu'indéniable.

Au moment où la présidente prononce les mots : « Coupable sous tous les chefs d'accusation », je vois une jeune femme se décomposer littéralement. Un cristal de Bohême rutilant éclate en mille miettes.

Quand le boulot m'éteint, je décroche. Je « vais aux oiseaux ». À pied, en vélo, en canot ou en skis. Ces jours-là, je troque le Palais pour une aventure douce, réelle ou imaginaire.

Aujourd'hui, je m'enfuis sur la piste cyclable du boulevard Gouin. La faune à casquette s'y est donné rendez-vous. La nouvelle verdure risque un œil. Je touche des branches d'arbustes aussi douces que des queues de chat. Je comprends l'énervement des oiseaux.

Pédaler me fait souffrir. Les conditions hivernales ont endommagé la chaussée. Pourquoi tant de tranchées dans l'asphalte ? Sans doute les fils. Des milliards de fils, plein les conduits souterrains. Ces autoroutes de l'information des profondeurs dont une ville ne peut se passer. Ils ont la tête enfouie dans le sable, les fils, alors il faut bien s'occuper d'eux. Sinon, ils se défilent. Il faut les protéger, les démêler, les moderniser, si on veut pouvoir s'écouter, se chauffer et regarder la télé.

On doit les materner, les tricoter dans des conduits, les cimenter dans des massifs. Malgré toutes ces précautions, le fil brisé devient objet de litige en cour. Qui a fait l'accroc ? Le gars du Bell, le gars du Gaz, le gars d'Hydro ou le gars de la *pépine* ? Le coupable n'a pas tendance à se vanter, la compagnie d'assurances attend les preuves pour rembourser et de toute manière le citoyen va payer.

Ciel ! Qu'arrivera-t-il en droit aérien quand les canaux de communication là-haut seront bondés et les codes de sécurité piratés ? Il n'y aura plus moyen de s'envoyer en l'air sans risquer une poursuite.

J'en suis là dans mes réflexions quasi judiciaires à propos des fils tordus lorsque je fais une chute spectaculaire dans la dernière tranchée mal remblayée par le gars du Bell, le gars du Gaz, le gars d'Hydro ou le gars de la *pépine*.

Le plus grand inconvénient des fils : ils donnent mal aux fesses.

C'est le printemps. Le grand air. La liberté. Un jour j'écrirai.

Moi que l'auto ne passionne guère, je prends plaisir à y traîner. Dans le garage du Palais de justice de Laval, devant un décor grandiose, je jouis d'un petit quart d'heure de musique baroque.

Le stationnement sousterrain s'ouvre côté sud-ouest sur une ancienne carrière à moitié remplie d'eau. Du deuxième sous-sol, on surplombe la nappe d'eau verte entourée de parois de calcaire d'une trentaine de mètres coiffées de verdure sauvage. L'endroit s'avère presque invisible des boulevards environnants. Le Palais cache tout.

Minutes délicieuses dans un garage. Avant de m'enfourner dans une histoire de divorce ou de comptes impayés.

Un matin de décrochage, j'apprends la différence entre une répétition de l'Orchestre symphonique de Montréal et un concert de l'Orchestre symphonique de Montréal : les jeans et bras de chemises des musiciens et le tabouret pour le maestro.

La pratique se déroule rondement. Le chef arrête la musique : « 1-2-3, 1-tam-tam », se rassoit sur une fesse, dirige avec une jambe pendant quelques secondes, se relève. La panoplie de mouvements exécutés avec les bras m'impressionne.

Les musiciens annotent leur partition, se tiennent debout parce qu'il fait chaud, gigotent comme des hyperactifs. La rigueur persiste côté musique malgré le laisser-aller côté forme.

Les musiciens répondent en chœur aux caprices de leur chef, qu'il les flatte, les menace ou les supplie. La volonté du maître s'insinue, s'incarne en une musique sublime. Puis le maestro prie tout le monde de l'excuser : il doit se présenter à la cour pour une contravention non payée, sinon on l'emprisonne.

Depuis la fin de mars, des oiseaux me visitent. Une histoire d'amour.

14 avril

Elle s'appelle Roseline. Lui a les joues et le cou écarlates du plus timide des amoureux. J'ai vu ce couple s'affairer sur la terrasse pendant la Semaine sainte. Il m'a fait la surprise de s'installer carrément dans la couronne de bienvenue tout à côté de la porte d'entrée, à quelques centimètres de la boîte aux lettres. Le nid déborde de brindilles douillettes.

Le matin de Pâques, je grimpe sur une chaise pour découvrir dans l'écrin de paille quatre œufs blancs, plus petits que des *jelly beans*.

Roseline passe beaucoup de temps à couver en surveillant le va-et-vient autour de la porte d'entrée. Le couple doit regretter d'avoir choisi cet emplacement pour faire famille. Les oiseaux et mes ados se font peur à chaque envol. Difficile de limiter les mouvements d'une famille de cinq personnes, des amis, du facteur, du laitier, des camelots, des voisins…

Je suggère à mon monde d'entrer et de sortir à quatre pattes pour ne pas déranger les occupants du nid. La famille n'est pas d'accord : « Le voisin d'en face doutera de notre équilibre mental ».

J'observe le manège du pourvoyeur gêné et de la mère fidèle. J'attends les quadruplés. Ça placote et ça chante. Et ça piaillera bientôt à l'aube.

Ce matin, plutôt que d'aller au Palais, cette boîte noire sans fenêtres, sauf pour les juges, j'ai envie d'accompagner mes roselins pourprés dans leur foi, leur espoir.

* * *

26 avril

Roseline couve toujours, flanquée de son grand timide. Je commence à m'inquiéter. On dépasse de deux jours la période de gestation, d'après le livre. Est-ce à cause de l'absence de soleil ? Tout ce qui vit manque de soleil par le temps qui court. On cherche ce qui peut le remplacer.

* * *

27 avril

Ils sont nés. Félicitations !

* * *

28 avril

Au retour du travail, j'effectue *in extremis* le sauvetage d'une petite boule de duvet à gros ventre et yeux glauques, de la taille de mon ongle de pouce. Avec précaution, des gants et un carton, je replace dans le nid Rosa ou Rosaire tombé(e) sur le Pavé-uni dur et froid. Ai-je bien fait ?

L'oiseau sera-t-il rejeté par sa mère ? Élèvera-t-elle un handicapé physique ou mental ?

Après vérification, quatre oisillons semblent se comporter normalement dans le nid. Ils réclament sans cesse. Je connais la chanson, j'ai des petits aussi.

Rosa, rosæ, rosam...

* * *

30 avril

A 18 h 30, je sors de cour vannée, le dos en feu. Dans cette cause où je travaillais, les pilotes du Saint-Laurent ont parlé pendant trois cents pages. Ils naviguaient à vue dans les remous judiciaires. Moi, je ramais.

Les avocats me malmènent. La vie est dure et froide comme le Pavé-uni. Depuis trois jours, je termine la prise de notes tard et passe la soirée à dicter des urgences. Je pars demain pour la convention des sténographes, qui durera tout le week-end, et... j'y prendrai des notes à titre de secrétaire de l'Association.

J'ai besoin qu'on me ramasse précautionneusement avec des gants, qu'on me remette dans mon nid au chaud sans me demander mon reste. Sinon, je deviens handicapée physique et mentale.

* * *

14 mai

Les petits se sont envolés. Deux le même jour, le dernier le lendemain. Le rescapé n'a pas survécu.

Ils sont partis comme prévu. Sans bavures. Aucune plume autour : le chat du voisin a raté le décollage. Partis comme prévu. Comme mes enfants partiront un jour, avec des idées de faire à leur manière, d'aller plus loin.

La porte d'entrée redevient un lieu ordinaire. La couronne comporte bien une excroissance, un fouillis de paille cimenté de fientes. Un nid vide.

À la mangeoire du jardin, je ne reconnais pas les roselins qui ont grandi sous mes yeux. J'ai aussi parfois de la difficulté à reconnaître ma progéniture qui vieillit.

Ils partent comme prévu. Le nid reste vide. Et tout recommence. Un grand timide apporte quelques brindilles à une Roseline.

Au Palais, des individus rasent les murs, assoiffés d'histoires croustillantes. Fournisseurs de journaux à potins, ils dégouttent du sang des miséreux ou des célèbres, à condition qu'il soit contaminé par le scandale. Ces fantômes hantent les couloirs, avides comme des goélands au bec cerclé dans le parc après la fête.

Une autre série de fantômes, éminents ceux-là, regarde déambuler les premiers, les suit des yeux et les juge en silence, près du greffe de la Cour d'appel, au dix-septième étage du Palais.

La galerie des portraits de bâtonniers m'impressionne tant qu'une fois arrivée au bout du corridor, j'ai la certitude d'être coupable d'une faute sans possibilité d'appel. Pourtant, je n'ai rien d'un goéland.

Il m'est impossible de travailler sans ma secrétaire.

À mots couverts, par tacite reconduction, notre entente se renouvelle. Je lui fais confiance. Je ne lui demande que le possible. J'accepte de détourner les yeux de ses petites erreurs, de ses péchés mignons.

De son côté, elle feint de ne pas entendre mes sorties et mes éclats. Elle reprend les mailles échappées de mes oublis.

Papier buvard, elle absorbe mon stress.

Il m'arrive de travailler des heures d'affilée à noter des phrases dont je ne comprends pas le sens. Soit que je travaille dans une cause pleine de noms propres étrangers où tous, sauf moi, savent de quoi il retourne. Soit qu'on réfère à des documents que je n'ai pas lus. Ou soit que le témoignage s'avère architechnique, pour initiés préférablement. Plutôt inconfortable.

Il m'arrive d'autre part de recueillir des témoignages de jeunes dont on a volé l'enfance, qui n'ont pas connu la tendresse et dont la passion pour la vie risque de s'éteindre. Intolérable.

Immanquablement, à ces moments-là, il me vient des envies de refuges, des goûts de balançoires. Celles à deux bancs, tout bois, de type va-et-vient, dont le mouvement lent provoque les réflexions quand on s'y retrouve seul, les confidences quand on se balance à plusieurs.

Petite, j'aimais me balancer au crépuscule, quand la clarté décline, quand la fraîche saisit. Je retardais l'heure de rentrer me débarbouiller. J'adorais le frisson, les chauve-souris, le doux bercement qu'on fait durer.

L'autre balançoire, celle de type siège et câbles, m'a causé une fois un grand chagrin. Je me revois un dimanche matin, après la messe. Je me balance au soleil. Fort. Jusqu'à ce que la balançoire donne un petit coup : on ne peut aller plus haut. Là, on saute. Le plus loin qu'on peut. R-r-r-i-p !

Ma belle robe de broderie blanche à ceinturon bleu déchire aux fesses d'une couture à l'autre, parce qu'un petit détail de la broderie anglaise s'est accroché dans le siège.

Autre flash : le soleil d'été bascule au-dessus du canal Soulanges, si orange, si lumineux qu'on voit des ronds blancs après l'avoir fixé. Un bateau, porteur de grain, de fer ou de *pitoune*, vient glisser lentement dans l'image. C'est le moment béni des fins de jour de ces années d'insouciance. Je chante pour rythmer mes élans sur la balançoire, je touche du bout du pied le croissant de lune naissant. Mon corps se plaît dans le mouvement. L'air doux siffle à mes oreilles. Les vacances tiennent leurs promesses. L'enfance.

Si j'étais médecin, je prescrirais des balançoires pour apaiser les agendas déments. Si j'étais juge, je condamnerais à des séances de balançoires les adversaires les plus féroces. Si j'étais magicienne ou mairesse, je ferais surgir des balançoires entre fleuve et Palais, entre Palais et montagne.

Dans mon travail, les histoires restent en suspens. Des inconnus, pilotés par leurs avocats, défilent sous mes yeux, racontent leur drame en cachant leurs émotions. Les uns crânent, les autres bluffent. Certains pleurent, avocats ou témoins. Seul le résultat compte : gagner ou… ne pas perdre. Au plus crucial du dossier, on ajourne, on me remercie.

Je pars transcrire les témoignages recueillis. Je reste frustrée devant des fragments épars, décousus, effilochés. Je perds à jamais le fil de l'histoire, on m'en a ravi la trame. Les récits des héros de mon quotidien restent en plan.

Alors, j'invente des fins surréalistes.

Le greffier annonce :

« Cour supérieure, Chambre de la famille, Monsieur le Juge Bernard McAllister entend la cause numéro 500-12-974 823-999, Marie-Paule Turpin requérante, contre Simon Dupéré intimé. Maître Sylviane Emond représente la requérante. Maître Peter Salois représente l'intimé. »

L'interrogatoire principal de Madame se déroule selon l'habitude. Elle révèle ses revenus, assez moyens, réclame la division des biens, la garde partagée des deux enfants mineurs et une pension alimentaire pour eux. Elle en a assumé la charge seule depuis la séparation. Madame précise la nature de ses dépenses mensuelles, reliées en grande partie au loyer et à la nourriture de même qu'à la santé et à l'éducation des enfants.

Maître Salois, en contre-interrogatoire, pose des questions au sujet du patrimoine de la requérante :

Q. Possédez-vous des antiquités ?

R. Oui, quelques-unes, héritées de ma famille.

Q. Combien de meubles et lesquels ? Décrivez la porcelaine. Combien de bijoux et quelles sont leurs valeurs ? Avez-vous préparé une liste ?

R. Une liste ? Non. Je ne m'attendais pas à ce genre de questions.

Q. Vos actifs, madame, votre fortune, intéressent le Juge.

R. Ma fortune, ce sont mes enfants. Un pichet et six verres dorés. Une grande assiette de porcelaine orangée. Un service de vaisselle complet pour dix personnes, avec un paon bleu comme décoration, fabriqué en Tchécoslovaquie au début du siècle et gagné au bingo par ma tante dans les années quarante. J'ignore la valeur de ces pièces. Elles sont dans notre vaisselier depuis vingt-cinq ans. Je possède une berceuse antique, dont un berceau a été remplacé, seul souvenir de ma mère.

Q. Êtes-vous prête à partager les porcelaines anciennes avec votre mari ?

R. Oui.

Q. Autres meubles anciens ?

R. Non, Maître.

Q. Bijoux ?

R. Un camée, souvenir de ma grand-mère.

Q. Œuvres d'art ?

R. Les dessins de mes enfants lorsqu'ils étaient petits.

Q. Possédez-vous des Tupperware ?

R. Comme dans toute bonne cuisine du Québec, on en a une armoire pleine.

Q. Quelle est leur valeur ?

R. Inestimable pour les lunchs et les restes. Mais la valeur en argent, aucune idée. J'ai dû en racheter deux ou trois fois depuis vingt ans.

Q. Combien êtes-vous prête à en partager avec votre mari ?

R. Vous voulez dire qu'il faut compter les morceaux et diviser en deux en tenant compte de la grosseur des contenants? Jamais je croirai !

Q. Vous êtes là pour répondre aux questions, madame, non pour en poser.

Maître Emond contre-interroge à son tour l'intimé, à partir des états financiers d'une entreprise de fabrication de contenants de plastique moulé dont il est le seul actionnaire et le directeur général.

Q. Voulez-vous produire les états financiers de l'entreprise pour la dernière année fiscale ?

R. Oui. Ils font déjà partie du dossier.

Q. Le revenu brut de l'entreprise tourne autour de neuf cent mille dollars par an. Quel est le revenu net des deux dernières années ?

R. Mille cent.

Q. Vous vous prenez un salaire ?

R. Oui. Trente mille par année.

Q. Quels autres avantages la compagnie vous fournit-elle ?

R. Une assurance-salaire, une assurance-maladie et dentaire, un régime de retraite, des vacances, une auto et les dépenses afférentes : entretien, stationnement, essence.

Q. L'entreprise possède-t-elle des œuvres d'art ?

R. Oui, acquises dans le but de décorer le bureau.

Q. Quelle est leur valeur ?

R. C'est un plan d'achat de dix mille dollars par an.

Q. Qui a été réalisé ?

R. Dans les dix dernières années, oui.

Q. Quelles sont les dépenses que vous utilisez en regard des revenus de votre compagnie ?

R. Secrétariat, téléphone, ordinateurs, abonnements, taxes foncières, entretien de la maison, assurances, automobile, « PR ».

Q. Qu'est-ce que vous incluez dans le « PR » ?

R. Billets de spectacles, billets de saison au hockey, hôtels, restaurants, hydravion, moto-neige, cadeaux aux clients, boisson, etc.

Q. Quelle marque d'auto conduisez-vous et de quelle année ?

R. Mercedes, que je change tous les deux ans.

Q. Est-ce que l'entreprise fournit une voiture à Madame?

R. Non. Elle ne travaille pas au bénéfice de l'entreprise.

Q. Et l'hydravion ?

R. Oui ?

Q. Vous en possédez bien un ?

R. Oui, oui.

Q. Plus qu'un ?

R. Non, pas dans le moment.

Q. En avez-vous déjà possédé deux ?

R. Quelques semaines.

Q. Combien avez-vous payé l'hydravion dont vous déduisez les dépenses de vos revenus ?

R. Quarante-cinq mille, usagé. J'ai *crashé* l'automne passé en haut de Mont-Laurier, à la chasse à l'orignal. Perte totale. Mais l'assurance m'a remboursé quarante mille. Ça m'a permis d'en racheter un autre pour la saison de la pêche.

Q. Combien avez-vous payé ?

R. Soixante mille. J'amène mes meilleurs clients pour des voyages de plaisir. Ce sont des frais de représentation.

Cette histoire m'enlève toute patience. Vivement les oiseaux.

* * *

Ce matin, dans le métro, je lis par-dessus l'épaule de mon voisin dans le Journal du sang :

« Un avocat civiliste de Montréal, Maître Peter Salois, a été retrouvé à moitié fou sur les terres de la Couronne, au Nouveau-Québec, "oublié" par un client qui l'y avait déposé en hydravion pour la chasse au caribou. Dans ses bagages (chose encore inexpliquée), on a découvert ce qui semble être des restes humains féminins, proprement coupés en morceaux, congelés et rangés dans des contenants Tupperware marqués "AVOCAT CONGELÉ". Un bracelet aux initiales S.E. se trouvait dans l'équipement de chasse. L'enquête se poursuit. »

En principe, je ne sais rien. J'en devine trop.

Les causes de succession, d'annulation de testament et autres dans le genre m'irritent souverainement. Les parties impliquées, plaignants ou intimés dans les requêtes, transpirent souvent de mauvaise foi. Moi, je baigne dans les préjugés.

Les aspirants à l'héritage ont les dents longues. Facile de piger dans une fortune dont le propriétaire passe le plus clair de son temps dans la sénilité ouatée, de nombreux étages au-dessus des plates considérations matérielles.

Elles séduisent le vieux Monsieur, lui racontent qu'il est joli et gentil et lui font payer cher le service. Celui-ci sourit, flatté.

De connivence, toutes dépenses payées, elles l'amènent chez le guérisseur, garantie fournie, puisqu'il a la foi, un âge certain et une maladie. Elles le font pleurer sur leurs malheurs et ceux de leurs enfants, qu'elles amplifient, et lui vendent leurs bottes usées.

Ils conduisent la vieille tante Alzheimer en catimini chez le notaire complice et lui font signer procuration, mandat, testament, tout ce qu'ils veulent en leur faveur.

Ils se chamaillent d'autant plus que le magot apparaît substantiel : requêtes, injonctions, avocasseries... Les clans familiaux se précisent. Les avidités apparaissent au grand jour. Les bassesses se découvrent. Les alliances se nouent et se dénouent. Personne ne s'émeut des scandales. Le vieux ne sait plus ce qu'il veut ? Qu'à cela ne tienne, on sait ce qu'on veut, on le fera à sa place.

Ils veulent savoir du notaire, alors que la vieille arrive encore chaude sur les planches, de combien ils sont avantagés dans le testament « pour décider de la grosseur de la couronne de fleurs à offrir ».

Ils carburent au signe de piastre, sont capables des pires hypocrisies et incapables d'empathie. Ils haïssent profondément autant les légataires que les héritiers légaux. Ils en inventent, ils en détruisent, ils en torturent des dernières volontés. Ils réussissent souvent à devenir des héritiers légaux.

Panne d'ascenseur.

Le Vieux Palais de justice, situé rue Notre-Dame Est, en surplomb du Champ-de-Mars, comportait ses charmes et ses vices, ses charmeurs et ses vicieux. Charles De la Tour d'Aiguebelle, opérateur d'ascenseur, portait un nom indécent.

Boiteux, trapu, obèse aux yeux croches, il ouvrait et fermait avec grand fracas les cages de dentelle d'acier. À tous les niveaux, tout le monde pouvait voir les occupants des trois autres ascenseurs. Même sous les jupes, lorsqu'un départ d'ascenseur en suivait un autre de près.

De la Tour d'Aiguebelle aimait caser un grand nombre de personnes dans sa boîte de sardines trouée. Il encourageait les hommes à tasser les filles. Il se rendait utile.

Voyeur, De la Tour d'Aiguebelle faisait des farces à double sens. Surtout quand j'étais seule avec lui dans sa boîte. Il me regardait les seins, la bouche, les fesses. Il me violait des yeux. Cela me mettait hors de moi. Cracher. M'enfuir. Qu'il tire sa maudite manette décorée ! Qu'il l'ouvre, la grille de sa prison perverse !

De la Tour d'Aiguebelle a pris sa retraite à l'ouverture du nouveau Palais de justice après avoir jeté un coup d'œil aux ascenseurs modernes.

L'autre jour, au cimetière sur la montagne, j'ai remarqué un monument de la famille De la Tour d'Aiguebelle entouré d'une grille de dentelle d'acier.

Que je fréquente la cour ou que je décroche, je surfe, je bascule dans mes dadas, je saute d'un sujet à l'autre, je me pâme pour une bagatelle. Je n'y peux rien. Cela tient à la nature des choses, peut-être aussi à la mienne. Un jour j'écrirai, tout effiloché.

Il est parfois compliqué pour un juge de déterminer la responsabilité civile.

Le Japonais s'est trompé. Il a expédié vingt mille œufs de grenouilles au lieu des vingt mille paires de cuisses de batraciens commandées.

Le grossiste américain a omis d'indiquer le numéro de la commande sur la facture d'expédition.

L'inspecteur du gouvernement canadien a négligé d'inspecter le chargement.

L'employé de l'entrepôt frigorifique a oublié le lot de caisses une nuit à l'extérieur. Une nuit d'été à Montréal.

Le revendeur qui dessert les chaînes d'alimentation a tardé à prendre livraison des deux cents caisses à cause d'un bris de camion.

Un sous-traitant engagé pour prendre charge de la commande a livré les caisses à la mauvaise adresse : rue Beaumont plutôt que Belmont. Lieu occupé par une manufacture de réglisse de quatre étages, propriété de Gershey inc., qui détient le monopole de la réglisse en Amérique du Nord.

Pendant que le juge décortique les témoignages, j'imagine la suite des choses :

Gershey risque la faillite. L'entreprise devient le monopole du burn-out. Les employés épuisés travaillent deux quarts et demi par jour sans produire le moindre sac de réglisse. Ils se tuent à chasser les grenouilles. Les assommoirs-massues endommagent les machines.

Vingt mille grenouilles japonaises géantes sont tombées en amour avec les torsades de réglisse rouge québécoise. À se rouler par terre. Les mâles préfèrent les pipes croches de réglisse noire, au fourneau de sucre rouge brillant.

Jim est tombé dans une salle d'interrogatoire du Palais de justice de Montréal que l'on nomme « motels ». Là où les sténographes recueillent des témoignages préalables aux procès. Là où s'engueulent allégrement les gens de robe de toute la région métropolitaine. Jim a tout juste eu assez d'espace pour tomber dans un de ces cubicules de deux mètres sur deux. La nouvelle se répand comme une traînée de poudre au rez-de-chaussée, bref dans tout le greffe.

Jim reprenait son travail de sténographe officiel après un séjour de trois ans à la maison aux frais de la compagnie d'assurance-invalidité. Un malheureux accident de tronçonneuse l'a amputé de deux doigts et forcé à troquer la sténotypie pour le « sténomasque » (1).

Qu'arrive-t-il à Jim ? L'ambulance est appelée sur les lieux. Les deux ambulanciers ont peine à exécuter les gestes qu'ils devraient poser efficacement. L'un tremble et s'affole. L'autre se prend la tête à deux mains. Même l'impassible monsieur Bergeron, responsable des salles d'interrogatoire, paraît très bouleversé.

Carrément sans connaissance, honnêtement en mauvais état, Jim, lui, a l'air de jouer son rôle correctement.

Tout à coup, je comprends pourquoi tout le monde semble

(1) Appareil utilisé par les sténographes officiels « sténomasques », qui sert à recueillir et à dicter les témoignages dans une sorte de masque.

plus mal en point que le malade lui-même : Jim est vert. Vert de A à Z. De la tête aux pieds. Imprégné. Teint. Uniforme. Sans tache. Même pas délavé. Vert comme ce n'est admissible que pour un brocoli.

Dr Green se présente à l'urgence dès l'arrivée de l'ambulance à l'Hôpital Royal-Victoria. Dans la salle d'examen, il voit le patient, maintenant conscient, immuable et vert, autour duquel on s'agite. Il comprend sur-le-champ et crie eurêka ! La conclusion vibrante, vivante et verdoyante de ses recherches des vingt dernières années s'impose à lui : le stress fait verdir. Et, aussi débile que cela paraisse, cela peut devenir indélébile.

J'éprouve un urgent besoin de me regarder dans la glace.

Un collègue s'est suicidé. Il n'a pu surmonter son angoisse. D'une certaine manière, c'est pour exorciser ma peine, ma terreur peut-être, que j'ai pondu ce texte. Je n'arrive pas à l'écrire autrement. C'est scandaleux.

Évasion rue Sainte-Famille.

Les musiciennes reçoivent les invités chez l'une d'elles pour un concert de violes de gambe. Des paires de bottes, un étui à violon, un ballon dans l'entrée somptueuse toute de bois ouvragé, plafond de quatre mètres, décor début du siècle. Une porte impressionnante ouvre sur le salon, où donnent deux cheminées et une mini-serre agrémentée de vitraux. Les musiciennes s'installent sur un podium. Des plantes vertes foisonnent dans la fenêtre en saillie.

Violes de gambe : violes pour instruments anciens, gambe pour jambe, et cordes de boyaux pour le son qui pleure, gémit, étouffé. On peut trouver laborieux le travail de sollicitation des immenses caisses de résonance. Quand on ferme les yeux, la magie baroque opère. Bourrées ou menuets, la finesse de la dentelle musicale nous saisit, un mouvement après l'autre. Ici, des trilles mordants précipitent la mélodie. Là, les crescendos s'affirment avec puissance. Les graves vrillent leurs plaintes torturantes. Sainte-Colombe et ses disciples déployaient un fin talent pour faire craquer rois et marquises. Suzy et Margaret interprètent avec brio et générosité, tirent de leur instrument ancien des sons lancinants.

Très simplement, à l'entracte, dans la cuisine, on offre des hors-d'œuvre aux tomates séchées, quelques pâtisseries dont l'une est annoncée manquée mais s'avère succulente, et un verre de bon vin. Les photos, dessins et mémos sur les murs parlent des préférences à table des enfants de la maison, de la résidence centenaire en Bretagne et des événements qui découpent en obligations et plaisirs le quotidien d'une famille active. Le piano à queue relégué dans un coin nuit encore aux déplacements. Le chat rentre mouillé. Le livre de recettes traîne sur l'armoire. Tous les téléphones sont débranchés.

En deuxième partie, nos hôtesses se surpassent, en harmonie ou en dialogue. Ça vibre au centre de moi. Le mode mineur va chercher mes cordes les plus sensibles, celles que je protège, que j'hésite à laisser toucher au cas où ça ferait mal. Parce que des artistes les caressent de leurs archets, j'ai les larmes au bord des yeux.

En route pour le travail, je rencontre une jardinière de la garderie du Palais. Avec mille précautions, elle protège un objet invraisemblable dans la porte battante de la sortie arrière de l'autobus. Pas commode à trimballer, son théâtre de marionnettes. Boîte de carton peinte, il est décoré de fleurs séchées en surplomb, ce qui en rend la manipulation risquée. On voit qu'il a été façonné à la main, amoureusement : gouache aux couleurs franches, découpage précis pour rappeler un écran de télévision, petit rideau à pompons.

La jardinière, qui a mis tant d'ardeur à la confection de son théâtre, captivera ses tout-petits avec des histoires fabuleuses. Elle les fera sans doute jouer eux-mêmes.

« Tantôt, me confie-t-elle, Rémi me racontera comment il se trouve bien à la maison, dans le solarium, au fond du La-Z-y Boy fatigué, niché là où l'épaule s'appuie naturellement au creux du bras de maman, les couettes dans son nez, le front sur ses lèvres, son souffle sur la joue, ses secrets dans l'oreille. Il expliquera que ça s'appelle "faire la colle". Rémi n'aime pas se hâter le matin pour venir à la garderie. Il préfère rester avec sa maman à la maison. Il expliquera comment celle-ci, avec précaution, par la peau du cou, l'enligne en direction de la garderie, comme une chatte remet son chaton dans le droit chemin, sa boîte à lunch dans son sac à dos. »

« Parce que sa maman travaille dans un palais, affirmera-t-il, le palais de… Justice. Il est chanceux, le roi Justice ! »

Je suis épuisée. Quand ma fatigue est grande à ce point, mon regard lève à peine et reste rivé sur moi-même. J'échoue immanquablement dans l'enfance. Je « vais aux souvenirs ».

Aujourd'hui, je suis très excitée. On m'amène à la chasse. J'ai quatre ans. Mon ami, lui, a les jambes plus longues que les miennes.

Derrière l'église, des fossés s'entrecroisent, bordés de joncs. Robert m'invite à y découvrir un monde humide, le paradis de la grenouille, que lui et ses frères assomment et écorchent pour faire un festin de leurs cuisses dodues.

Il a le flair, détecte et attrape. Moi, je n'ai qu'à surveiller et à signaler tout ce que je vois chamarré vert. Je ne lui avoue pas qu'à l'écorchement je fermerai les yeux. Peut-être ne s'en apercevra-t-il pas.

La fierté m'habite : seuls les initiés vont à la chasse aux grenouilles. Je porte ma plus belle robe de semaine, la bleue aux chatons blancs, bordée de dentelle aux manches. Celle que j'ai tachée aux poches la semaine dernière quand je les ai remplies de « catherinettes ». Les souliers, ça va, qu'il me dit, puisqu'ils ont des semelles de « gomme ».

Au premier fossé à sauter, Robert a déjà atterri de l'autre côté quand j'en suis encore à juger et à jauger. Je vois grand — je suis optimiste de nature —, je m'élance et... tombe dedans.

Mon amour-propre, c'est le cas de le dire, en prend un coup. Je m'empêtre dans la vase devant Robert. Puis je dois apparaître devant ma mère, en grande conversation avec la voisine. Le menuisier se pointe par-dessus le marché. Au moins, Robert n'affiche pas le sourire en coin.

Mes souliers remplis d'eau sale font couic couic et les chatons de ma robe ont pris, jusqu'à la taille, une couleur verdâtre. Pas de chance, ça arrive toujours à ma préférée. Bientôt, j'aurai la figure barbouillée aussi, car je ne peux m'empêcher de pleurer à chaudes larmes. Robert me console de son mieux en me promettant qu'on se reprendra demain. Rien n'y fait.

La chasse aux grenouilles, très peu pour moi depuis. Je ne les apprécie qu'au resto, ces cuisses-là.

* * *

Trente ans plus tard, en cet après-midi d'automne, il nous prend une envie folle de tout laisser là. Robert, toujours aussi bon gars même s'il est devenu procureur de la Couronne, m'amène cette fois à la chasse à la perdrix. J'y connais peu de chose. Il m'apprendra. De toute manière, me dit-il, on peut y aller pour le plaisir de marcher en forêt.

Le bois a pris des teintes surprenantes. Le soleil joue dans les feuilles moribondes. On hume l'air frais mêlé d'odeurs de moisissure. Le tapis coloré crisse sous les pas. L'agrément redoublera si on ramène de la volaille.

Elles m'apparaissent nigaudes, ces cocottes-là. Peut-être sont-elles de candides candidates au sacrifice. On a déjà vu ça. Têtes de linottes ou pas, encore faut-il les dénicher, les faire lever et bien viser. J'ai l'œil. Il tire.

« Bravo ! On recommence ? Ça en prend combien ? La carabine? Non, je n'ai pas vraiment le goût de contrôler ça. Touche la douceur des plumes fauves. »

Ce que j'aime le plus : les bottes de cuir, minces et longues, le frisson qui nous passe dans le cou quand le soleil baisse, le sourire de Robert quand la candide s'écrase. Et les perdrix au chou. Je me charge du vin.

À la chasse, n'importe laquelle, même aux criminels, Robert a toujours le dessus. La prochaine fois, je l'amène à la chasse aux mots.

Oyez ! Oyez ! Oyez ! Que toute personne ayant affaire devant cette Cour s'approche et elle sera entendue. Vive la Reine !

Les « crieurs de juges », qu'on nomme maintenant « huissiers-audienciers », avaient l'habitude d'ouvrir ainsi la cour.

Oyez ! Oyez ! Oyez ! Vive le malentendu !, ai-je le goût de dire.

Contradiction... imprécision... insignifiance... appréhension... méfiance. Presque tous les jours, je gagne ma vie à même la confusion. Je suis payée à la page, à pleines pages de malentendus. Je me chauffe du bois de la mésentente. Je suis témoin de confrontations colossales. Les opposants dans les dossiers de cour donnent aux faits, aux événements et aux documents une infinité d'interprétations. Le tout se déroule généralement dans une atmosphère tendue et à un rythme endiablé. Peut-on recycler cette énergie pour chauffer le Palais ?

L'Honorable juge Aimé d'Iberville Robinson a le corps raide du colonel, la chevelure blanche encore abondante, l'œil sympathique et le teint rosé ponctué des inévitables taches de vieillesse.

Il écoute bien, fait preuve d'une patience exemplaire. Il prend son rôle au sérieux. Il applique la loi, point à la ligne.

Juge à la Cour supérieure pendant vingt-cinq ans, c'est honorable mais pas exceptionnel. Mais juge d'une cause qui a duré dix ans, voilà qui est peu banal. L'Honorable Robinson a rendu une décision de cent cinquante pages, la plus élaborée de sa carrière. Jugement porté en appel à la Cour d'appel et à la Cour suprême. Confirmé. Peine perdue et fortunes aussi pour les appelants déboutés par les deux cours hiérarchiquement supérieures à la nommément supérieure.

Bien que sa carrière se soit déroulée sans bévues et qu'il se soit mérité prestige et considération, une phobie a compromis sa crédibilité et l'a presque fait tourner de l'œil : les souris. Les souris dévoreuses de papier. À la maison, au chalet, en auto, même au seizième étage du Palais de justice.

Il a essayé des dizaines de subterfuges pour se débarrasser de cette plaie, comme pour se défaire d'un hoquet persistant. Rien à faire. La phobie des souris l'a ravagé.

À une époque antérieure à l'avènement de l'ordinateur, la montagne de transcriptions du procès-fleuve s'étalait sur quelque 90 000 pages de papier fin. Les planchers de l'annexe du vieux Palais étaient si décrépits que les talons aiguilles des employées le trouaient régulièrement. Des parquets en passoire : des gruyères. Quatre-vingt-dix mille feuilles : un objectif papetier de choix pour la gent trotte-menu du Vieux-Montréal.

Tout cela a nourri la phobie du juge Robinson : rangement des nombreux volumes de transcriptions sous son oreiller, trimballage en vacances au risque de bien plus grands ravages, fabrication d'échafaudages pour les surveiller... Un cauchemar pour tous ceux qui l'ont aidé à assurer la garde des précieux documents.

Les sténographes officiels consultés, officiers de justice rémunérés à la page, ont démontré de l'empathie et un intérêt réel pour recommencer le travail en cas d'attaque. L'affaire n'a fait qu'augmenter le stress du juge.

La protection contre l'invasion des souris a duré les deux dernières années du long procès et a bien failli avoir raison de sa santé. Son dérapage mental me le rend attachant. A cause des jugements de la Cour d'appel et de la Cour suprême, je suis jalouse de lui. Je rêve du jour où l'Institution judiciaire confirmera mes décisions des dix dernières années.

Je suis fatiguée. J'ai travaillé « au jour le jour » : j'ai dû remettre mes transcriptions en moins de vingt-quatre heures. Travail stressant, de soir, de nuit, humeur à l'avenant. J'ai besoin de changer d'air.

Le ciel montréalais ressemble aujourd'hui au ciel néerlandais. Il s'y déroule une course de nuages. J'ai envie de me promener à vélo aux Pays-Bas, quelque part entre Gouda et Rotterdam. Entre la plate plaine et le port de la ville reconstruite. Comme je suis une cycliste plus fantaisiste que compétitive, j'ai le nez en l'air, je suis lente sur la pédale et je fais des détours sans m'en apercevoir.

Il y a quelque chose d'ordonné, de très sage dans la suite des digues, canaux et écluses. Tout ici s'agence sans surprise. L'élément changeant reste le ciel. Il fait son spectacle continuel, la brise aidant. Les moulins à vent se déchaînent, à ma plus grande joie. Je veux en découvrir des plus gros, des plus extravagants.

Un arrêt à Delft me donne du fil à retordre : comment rapporter de la si jolie faïence dans des bagages restreints de cycliste ? Des sous-plats entre les livres et les T-shirts. Pour ce qui est du gouda, je le mange en route.

Il se passe dans les nuages des histoires troubles. Comme si un forcené, éternel insatisfait, installait compulsivement des mises en scène successives. Le vent peut-être. Ciels dramatiques, quelquefois des plus fantastiques.

Je me demande si le ciel changeant a un effet sur mon âme.

« Ses murs de prison gris froid. » *(p. 11)*

« [...] sous le puits de lumière. » (p. 92)

« Tu ne déambules plus dans la salle des pas perdus, […] » (p. 77)

« Une autre série de fantômes [...] » (p. 31)

« [...] devant quelques tomes spécialisés, [...] » (p. 112)

« Un palais sans jardin, [...] » (p. 93)

« L'orage dure une minute. » (p. 78)

« Je pédale le long du canal Lachine, [...] » (p. 142)

« Le cheval est tombé raide mort [...] » (p. 88)

« [...] bras levés vers le soleil couchant, [...] » (p. 11)

« Ma vie gravite autour de l'horrible. » (p. 11)

« De l'été indien pure perle. » (p. 145)

C'est l'automne. On assiste aux dernières représentations des vivaces. Les roses auront le dernier mot. Le vent dégarnit les érables, le rouge d'abord. La verdure s'épuise sur fond sang et or, moi sur fond de procès pour vol et fraude. Un jour j'écrirai.

Midi. L'air est doux. Les passants flânent Place Jacques-Cartier. Des touristes vont à leurs visites, des fonctionnaires à leurs (nos) affaires. Des petits maigres, des gros gras, des hurluberlus à l'allure clownesque. Le Vieux-Montréal — touristique, travailleur, alternatif — se prélasse au soleil de septembre.

Une calèche roule cahin-caha dans la pente. On entend le clap-clap lent des sabots ferrés qui avancent prudemment sur les pavés à l'ancienne. Des artistes en herbe saisissent la scène sur fond de marché aux fleurs. Des cols bleus municipaux manifestent nonchalamment.

Je recherche le summum de la volupté : un petit lunch à une terrasse. Entre deux procès assommants.

Après avoir recueilli les témoignages à la Commission d'enquête au sujet de l'avenir de la Gare Windsor, je les dicte et tombe endormie sur le divan d'Émilie, ma secrétaire. Branchée à la transcriptrice, elle reste vigilante à l'écran de l'ordinateur jusqu'à ce que les lettres dansent. Je prends la relève, relis et corrige pendant qu'elle s'assoupit à l'aube.

Avant d'aller inaugurer en frissonnant les petits déjeuners du café du coin, nous déposons chez l'imprimeur la transcription finale. Photocopiés et reliés, les quinze exemplaires de deux cent cinquante pages de la séance d'hier seront livrés aux parties en cause deux heures avant la reprise des auditions d'aujourd'hui. C'est ce qui s'appelle transcrire « au jour le jour ».

Émilie et moi avons travaillé de nuit. Au service de quel dieu ? Grâce à nous, les membres d'une Commission tiendront vivaces les affirmations des témoins, l'opinion des experts, le sort du hockey au Québec.

Bien d'autres passions que l'avenir de la Gare Windsor auraient pu nous dévorer cette nuit.

On ne te voit plus, Maître Théo. Ton bureau est vide. Tu ne traverses plus le boulevard Saint-Laurent en direction du Palais, saluant à la ronde des membres du Barreau ou de la magistrature. Tu ne déambules plus dans la salle des pas perdus, affairé mais gai et plein d'assurance. Théo, tu me manques. Te reverrai-je ?

Théo, p'tit vieux, dans ton bureau poussiéreux qu'on a vidé de ses paperasses, la magnifique bibliothèque de chêne à portes vitrées a disparu. Ta secrétaire a été forcée de prendre sa retraite.

Théo, p'tit vieux, je rôde à mes affaires et tu n'es plus aux tiennes. Je ne t'apercevrai plus, à l'ombre du Palais ?

À l'heure des plaidoiries, l'air d'un gamin endimanché avec ta toge de conseiller de la Reine et ton rabat empesé, on va te remplacer, Théo, p'tit vieux ?

Nos conversations dans la côte de la Place d'Armes à propos de nos dernières lectures, toi le nez qui coule sous ta casquette à oreilles, moi le col relevé sur le chapeau poilu, nos dossiers sous le bras, c'est fini, Théo, p'tit vieux ?

Tu n'es plus au poste à l'heure fixée pour le rendez-vous avec le client, à l'heure du conseil judicieux, du texte bien fignolé et du travail bien fait. Théo, je m'ennuie de toi.

Théo, p'tit vieux, voisin, modèle, complice, est-ce vrai qu'on t'a amputé les deux jambes ?

Il est un lieu judiciaire où se produisent les plus capitales injustices, où sont bafoués les droits et libertés les plus élémentaires, le tout se terminant invariablement dans une peine ineffable qui arrache la compassion : le terrain de jeux de la garderie « Le petit palais ».

L'orage dure une minute. L'arc-en-ciel succède au tonnerre. Les tout-petits en salopette roulent dans le sable. Au bout du tunnel, un mignon nez blanc apparaît, ensuite un noir, puis un caramel. Un millionième jeu prend forme dans la cage à singes. Le plus espiègle des quatre ans fomente un nouveau coup et le rire le dissout.

Émilie est ceinture noire et entraîneure de karaté. On se le tient pour dit. Elle a des mains qui se croient tout permis, à condition de le faire avec désinvolture.

Cette fille intense aux yeux perçants éclate de bonne humeur. Elle agrémente son accent frisé belge d'un soupçon de parler québécois. Originaire du Zaïre, elle grelotte ici. Elle affirme en chantonnant, avec un grand sourire, sa façon de penser.

Quatre fois par semaine, à dix-huit heures, elle entraîne les aspirants aux ceintures, qui vont de pâles à foncées, selon le cheminement martial prévu. Parmi eux, Grand-six-pieds sue à ses katas. Émilie invente des exercices pour le plaisir de voir mourir le monde. « Pour la forme », déclare-t-elle. La main cassante, la cheville matraque, en souplesse, en harmonie, Émilie commande des mouvements et des chorégraphies à effet transcendant. Du haut de ses quatre pieds dix, le cou cassé, elle dirige le ballet de Grand-six-pieds. Sa devise : « L'esprit maîtrise l'envol ».

Grand-six-pieds pense : « Émilie gagne sa vie à "traiter les textes" des sténographes officiels du Palais de justice. Je suis certain qu'elle les traite allégrement, les textes, et met au pas leurs officiels par la même occasion. Cette fille concentrée doit brûler ses partenaires amoureux à la manière des grands mystiques. »

Grand-six-pieds porte un intérêt mitigé au karaté, mais se comporte comme quelqu'un qui est tombé sous le charme de son entraîneure. Ce soir, sur le tatami, en une série d'arabesques martiales de son cru, il se permet de déjouer Émilie, de lui faire perdre pied, de la faire chavirer en douceur, comme à la fin d'un rock tuant.

Victime de la froidure de son regard et de la noirceur de sa ceinture, pour tout dire le nez au tapis, il s'aperçoit trop tard qu'elle n'aime pas le rock.

C'est l'hiver. Il fait froid. Il fait trop noir. Un jour j'écrirai. Écrire fait éclore les printemps. Les prisonniers s'évadent au printemps.

Trois fois embrumée, que je suis, ce matin. Le soleil arrive à percer malgré tout.

La première brume, au dedans de moi, toujours là selon mes enfants et mes collègues, plus ou moins apparente ; ils commencent à deviner que je l'entretiens.

La deuxième : à cause du nettoyage des tapis, toutes les vitres de la maison sont remplies de buée à la grandeur. Un vrai aquarium.

Enfin, la rivière exhale des bouffées de vapeur, comme si elle avait des chaleurs. Le vent aidant, le parc voisin s'enfume, les rameaux se recouvrent de frasil. Le soleil vrille à travers. Il s'entête, gagne par petits bouts. Ses rayons torturent l'incertitude. Le tout se poursuit comme une étreinte consentante.

Aussitôt à l'extérieur de la maison, je me sens malgré moi de la partie, au milieu d'une tourmente douce, happée dans l'à-peu-près. L'intensité de lumière varie par à-coups.

J'en ai le souffle court tant je voudrais qu'il ne se passe rien d'autre. Quasi brume, tentation de lumière, perspective myope. C'est beau à ne pas vouloir quitter sa rivière, à oublier tous les palais.

La Fée des étoiles m'apparaît, sous terre, dans le métro, en route pour le Palais. Je me pince, je ne rêve pas.

Une poupée chaussée de bottes blanches doublées de fourrure rose pâle. Son manteau blanc déboutonné traîne par terre — quel malheur — et laisse voir, à travers une blouse transparente, un soutien-gorge rose brodé. Un capuchon bordé de poil rose se prolonge en boa dans son dos. La belle tient un immense sac en tapisserie fleuri de toutes les roses de la terre. Son vernis à ongles se marie à la teinte du boa, du soutien-gorge et d'une rose du bosquet. Je remarque la fleur rose piquée dans sa chevelure décolorée blond blanc quand elle se lève pour sortir du wagon.

Elle a du rose à ses joues rondes, un joli nez et le regard évaporé, mourant. Les yeux aux contours charbonnés font une tache disgracieuse dans la douce guimauve.

Somnambule, la fée se déporte à rythme lent comme dans une fête céleste. Il ne manque que la nuée lumineuse. Je la suis, subjuguée.

Elle atteint l'entrée du Palais. Le flocon scintillant s'assombrit, disparaît dans la gueule du monstre. Le blanc et le rose perdurent un instant. Les diamants noirs des yeux ont fondu les premiers.

On annule mes services à la dernière minute. Il tombe des flocons gros comme je les aime, le bouleau s'en empare au passage, ce qui lui donne toute une allure.

Conditions inespérées pour une randonnée en ski de fond. Au Parc du Bois-de-Liesse, pour la proximité, la tranquillité et les mésanges à tête noire qui m'accompagnent en faisant les folles.

La Maple Leaf des Laurentides, ce sera pour une autre fois. Quelques jours gagnés sur la peur. La Maple Leaf m'indispose. Elle me précipite sans prévenir dans des virages déraisonnables sur des pentes en sentier étroit. J'y perds mes moyens, parfois ma tuque.

Quelques heures à glisser sur des planches suffisent à rendre le pur état de grâce à tout travailleur fatigué, citoyen frustré, individu déprimé.

Au Bois-de-Liesse, la dernière tempête a frappé dru. L'érablière s'avère étrangement blanche quand on skie vers l'ouest. Une neige durcie recouvre l'écorce des arbres des racines à la cime. On croit avoir la berlue.

Comme prévu, les mésanges jouent les acrobates et les pies en me chuintant leurs secrets, désormais bien gardés. Un lièvre détale. Le ruisseau Bertrand veille. Le soir tombe. La lune suffit au retour.

Je termine la journée par un repas frugal. Une tablette énergétique californienne accompagnée de sirop d'hydromel et un capuccino. Pour le plaisir de mêler la fin et le début de la civilisation occidentale.

Dernièrement, j'ai offert à mes amis des vœux de santé, plaisir et sérénité pour l'an nouveau. J'aurais dû leur souhaiter des pleines lunes, des mésanges, de l'hydromel et des flocons gros comme je les aime.

Pour effectuer la livraison de mes transcriptions, je fais affaire avec des extra-terrestres.

Comme le feu vire au rouge, mon messager, sanglé à son vélo, pédale « dans l'tapis » et vire au nez d'un taxi au pied de la côte de la rue Université. Il a l'allure d'un danseur de ballet affublé d'un casque high-tech et d'un système de communication dernier cri. Il livre des enveloppes plein son sac à dos et bat de vitesse le fax pour ce qui est des documents volumineux.

Le juge aura donc sous le rabat rapido presto la jurisprudence la plus pointue. L'avocat du plaignant, sarcastique, noiera le poisson avant la fin des plaidoiries grâce aux bons soins du pro de la pédale qui, lui, déteste la morue. L'intimé aura le bec cloué, qui sait s'il n'en deviendra pas marteau.

Rouler à bicyclette, voilà ce qu'un courrier sait faire dans la ville. Rouler, rouler encore. Cueillir et livrer. Filer en ligne droite sur les rues et les trottoirs. Escalader les obstacles s'il le faut. Mieux vaut ne pas le rencontrer à l'angle d'un édifice à bureaux.

Aussitôt sorti de l'ascenseur, l'extra-terrestre se précipite sur la pile d'enveloppes qui l'attend à la réception du bureau des sténographes — dégagez le coin, s'il vous plaît —, s'épingle les bons d'expédition roses sous le nez, fait un téléphone monosyllabique à son cellulaire puis disparaît. Sa bécane phosphorescente fuse rue Sherbrooke.

Pour le plaisir de l'entendre témoigner lui aussi, j'enfile un magnétophone dans une enveloppe qu'il livre pour moi à un complice dans un bureau d'avocats. Je constate qu'il ne s'ennuie pas au guidon :

« Excusez, Madame ! Ah, inutile, elle a pas eu le temps de me voir. »

« Wô, gros cochon de routier ! Qu'est-ce que tu fais en ville à part des trous dans la rue ? »

« Oups ! Frôlé la statue du Frère André. Pas grave, son cœur est dans le vinaigre. »

« Maudit cadenas, encore coincé ! Police ! Garde mon vélo trois secondes, le temps de manger ton beigne. »

« Tralalalala ! La belle paire ! Joli menton en plus ! Mmmmm… »

« Toi, mon Gino Camaro, avec ta p'lote à *tires*, je te roule su'l'top si tu me touches une pédale. »

« Ahhh… j'vais-tu les gagner mes piastres aujourd'hui dans cette soupe aux pois de giboulée-là ! — Virage terminé en christiania amont. — La fricassée, je déteste. C'était le printemps hier, je pédalais le nombril au soleil. Sale pays ! »

« Toi, mange d'la crotte, l'escargot, pis ôte tes sabots de Denver ! »

« Wow ! Battu mon record de vitesse ! C'est le temps d'un jump flip-flop près des calèches sur la côte de la Place d'Armes. Yououou… tabarouette à pédales ! Le cheval est tombé raide mort en me voyant sauter. »

Il n'y a pas plus authentique personnage du milieu judiciaire montréalais que Jean Mackay. Fils de sténographe officiel, neveu de sténographe officiel, petit-fils de sténographe officiel, arrière-petit-fils de Jean-Toussaint Thompson, premier sténographe officiel au pays, Jean Mackay compte plus de soixante ans de métier. Il connaît tous les plaideurs, a travaillé dans les enquêtes célèbres et raconte mille anecdotes du milieu de la justice. La plus spectaculaire : son travail clandestin à Washington pendant la Deuxième guerre mondiale.

À ma manière, je lui rends hommage. La fin loufoque de l'histoire, je plaide coupable de l'inventer pour les besoins de la cause.

* * *

« Washington, D.C. Qu'est-ce que je viens faire ici, moi ? Ils m'ont dit : "Vas-y, vas-y, tu vas prendre de l'expérience. Tu nous conteras ça." Au prix qu'il me paye, le gouvernement britannique est un bon employeur. Je ne pouvais pas refuser. Ça m'aurait fait du tort dans le milieu judiciaire. À mon père et à mon oncle aussi. "Le jeune n'est pas capable de prendre la pression, leur aurait-on dit, il ne tiendra pas longtemps dans le métier." Le monde des sténographes officiels est limité et les contrats clairsemés en ces temps de guerre.

» Le secrétaire général du comité de la Commission américaine de j'oublie quoi m'a dit, avec son gros accent anglais : *"Mr. Mackay, you will work behind a curtain. Better they don't know* que tous leurs mots sont notés et que le *President* étudie les *transcripts* le soir même dans son lit."

» Un acteur caché derrière un rideau, voilà le rôle qu'ils m'assignent. Les seniors ne m'avaient pas dit qu'en devenant sténographe on était promu espion. Quand je vais dire ça à Georgette ! Ah non ! J'ai juré sur la Bible de me fermer la trappe. *Top secret.* Je me demande si je sers mon pays, ma religion et ma langue correctement. »

* * *

My Lord ! Les Britanniques se scandalisent, les Allemands crachent, les Français crient à la tromperie, les Américains perdent la face. La séance s'arrête net, dans le fouillis et l'indignation, quand Jean Mackay, sténographe officiel en mission à Washington en 1942, éternue derrière le rideau.

Dans l'autobus 64.

Le cahier à anneaux rempli de photos noir et blanc repose sur son genou droit à elle et sur son genou gauche à lui. Ils le feuillettent.

Lui : yeux pétillants, casquette sens devant derrière du *skater*, l'air d'un étudiant à Concordia.

Elle : yeux olive attentionnés, cheveux en brosse, l'air d'une étudiante à l'UQAM.

Ils se mettent à écrire à tour de rôle sur une feuille volante, qu'ils se passent vivement.

(Lui) : Tu prends des cours de photo ?

(Elle) : Étudiante en travail social. Mais j'aime les arts.

De toute évidence, ils font connaissance et, sans aucun doute, elle est sourde. Le va-et-vient écrit se poursuit, au fil des photos qu'elle lui montre.

(Lui) : Quel genre de filtre ?

(Elle) : Même photo trois jours différents.

(Lui) : Patiente ?

(Elle) : J'aime la lumière.

(Lui) : Ton chien ?

(Elle) : Mon ami de chien.

(Lui) : Ta grand-mère ?

(Elle) : Mon amie. Ta grand-mère à toi ?

(Lui) : L'invite à souper le dimanche. Mafia ?

(Elle) : Mon proprio. M'amène jouer à la pétanque.

(Lui) : J'adore jouer au badminton. Saint-Hilaire ?

(Elle) : Abeille.

(Lui) : Naufrage ?

(Elle) : Saumon.

(Lui) : Beau garçon ?

(Elle) : Chavirée.

(Lui) : Désolé. Vieux canal ?

(Elle) : Enfance.

(Lui) : Beau garçon ?

(Elle) : Drôle de coloc.

(Lui) : Quelle chevelure !

(Elle) : Raton, ma meilleure amie.

Suit la photo d'une jeune fille songeuse sur fond de ferraille.

(Lui) : Solitude ?

(Elle) : Nouvel ordre mondial. *I like junk.*

(Lui) : I love you.

Je les ai perdus de vue. Une semaine plus tard, je les ai aperçus au Palais, sous le puits de lumière. Ils attendaient leur tour à la salle de célébration des mariages civils.

Entendu un jour au Palais : « La Cour perd patience ».

Entendre : « Le juge perd patience ».

Quand côté cour on s'exaspère, peut-on penser que côté jardin on s'extasie ? Pas le moins du monde. Il n'y a pas de jardin au Palais de justice.

Un palais sans jardin, qui a déjà vu ça ?

Entendu un jour au Palais : « La Couronne est malade ».

Ses lauriers décrépissent, pourrait-on penser.

Non. Le substitut du procureur de la Couronne demande encore une remise.

Mais, à la cour, les remises ne s'accordent plus aussi facilement qu'auparavant.

Entendu un jour au Palais :

« C'est un écœurant ! As-tu vu mon *black eye* ?

— Mimi, on voit juste ça dans ta face ! »

* * *

Dix jours plus tard :

« Je l'aime, mon mari. Je veux retirer ma plainte, monsieur le Juge. Il s'est repenti. Il y a plus de problèmes. »

* * *

Un mois plus tard, au bulletin de nouvelles, cette fois :

« Un autre drame familial s'est produit tard hier soir... »

Je sais peu de chose d'elle, encore moins de son fiston. Mais elle m'a parlé de l'affaire au moins trois fois en un jour d'audition, tout en faisant son travail de greffier : le petit a déréglé l'heure à son bracelet-montre.

Trop long à rajuster. Elle vit donc en porte-à-faux sur un temps déboussolé. Vingt fois par jour, elle rectifie mentalement l'heure numérique à son poignet.

Exercice qui en dit long sur la personne. Besoin constant de se référer au temps, du moins pour son travail. Ennui certain devant l'électronique. Elle ne perd pas patience pour un vil ajustement. Elle aime bien se rappeler son fiston plusieurs fois par jour, en calculant les quarts et les demies. Il peut la déranger.

Magnifique petite enfance qui déprogramme cadrans et horaires ! Au diable le juge qui arrivera en retard à son lunch !

Mon amie France est avocate. Elle a fait un pacte avec le travail :

> Je te considère comme un mal nécessaire. Je te donne une honnête part de moi-même, à heures variables. Tu me fais vivre, tu me gratifies. Aucune invitation raisonnable à décrocher ne sera refusée, si je veille à éteindre tous tes feux.
>
> Tu me traites avec respect, tendresse. Parfois même tu me mets sur un piédestal.
>
> À certains moments, nous perdons la notion du temps. Pour le meilleur et pour le pire.

Est-ce véritablement un pacte avec le travail ? Avec le soleil? Avec elle-même ? Ou peut-être avec son homme ?

C'est le printemps. Le temps des vents doux, des oiseaux qui jacassent, des rivières qui rugissent, des évasions. Un jour j'écrirai et ce sera toujours le printemps.

Je prends souvent le train pour me rendre au Palais. De Val-Royal. J'ai l'intuition que cette gare et ce train ne seront pas éternels. C'est pourquoi j'ai envie de les décrire. Pour ne pas oublier.

On a accès à la gare rétro plantée sur la butte du viaduc de la rue Grenet par tous les côtés, même en enjambant les voies ferrées. Ce n'est que l'habitude ou l'honnêteté qui incitent les voyageurs à payer leur ticket ; il faut faire un détour pour passer au guichet à l'écart. Le guichetier lui-même semble figé là depuis un siècle, regardant défiler avec la même indifférence les passagers intègres et ceux qui ne veulent pas l'être.

L'édifice a l'air d'un pavillon de campagne à toit large. Comme s'il voulait protéger sous ses jupes plus de gens qu'il n'en peut contenir. Plusieurs ouvertures étroites le découpent côté train. Les fenêtres doubles à trois trous ronds au bas paraissent pétrifiées dans la peinture. La gare calfeutrée affronte la tempête douze mois par an.

Pour entrer, on tire une bruyante porte à clenche et, dans la salle d'attente, on subit le vrai choc du retour dans le temps. On se tient alors littéralement sous le tuyau de poêle, couleur aluminium, assujetti au plafond par du fil de fer. On contourne la chaudière centrale rudimentaire d'où part le tuyau et où chauffe une bouilloire, le matin. Deux bancs de bois noirs occupent les murs les plus rapprochés de la chaleur. L'usure et les égratignures ont eu raison de la peinture, mais ce sont de magnifiques bancs aux sièges de lattes étroites, bien arrondis et confortables, aux accoudoirs de fonte dentelés de jolie façon, semblables aux pattes ouvragées des machines à coudre antiques. On peut chercher longtemps la couleur du plancher tellement il est sale. Ça sent le vieux : vieux bois, vieux cigares, dossiers surannés.

Sur un des murs de planches embouvetées, deux grillages lourds s'ouvrent sur des pupitres de bois foncé encombrés et empoussiérés. En face, deux affiches en caractères d'imprimerie anciens encadrées de chêne verni : l'une annonce la boîte téléphonique, l'autre les règlements de la Compagnie des chemins de fer nationaux. Difficile de lire les messages jaunis, décolorés et souillés, malgré la vitre qui les recouvre.

L'horloge immense surplombe le tout avec un balancier aussi exorbitant qu'inexorable. Le temps règle tout ici. Il s'égrène uniformément, sans différence aucune, qu'il batte à l'ancienne ou cliquète à la moderne. Immanquablement, il ramène chaque jour les mêmes passagers.

Le train de banlieue, malgré ses locomotives vétustes et ses wagons lourds et défraîchis, bat de vitesse l'autobus, le métro et même l'automobile, en empruntant vers le centre-ville le tunnel creusé sous la montagne. Comme une famille trotte-menu mécanique qui file à la queue leu leu dans son trou.

Ils sont fiers des performances de leur vieux train, les passagers fidèles. De connivence, ils sourient devant les lieux déprimants, soupirent face aux vitres crasseuses et ferment les yeux sur le décor délabré. Ils se coudoient sur le quai quand bruyamment le train arrive. Telle un cabot servile, la haute bête noircie s'arrête à leurs pieds à grands grincements de freins. Seule coquetterie : un serpentin gracile relie la locomotive au fil alimenteur. Mon train est un dragon à plume.

Monter à bord d'un wagon constitue une séance de conditionnement physique. La plate-forme est si étroite, la première marche si haute et la rampe si inaccessible.

À l'intérieur du wagon, bien imaginatif qui voit autre chose que grisaille à travers les fenêtres doubles encadrées de bois gris. Les bancs se retrouvent ordinairement à l'opposé de la direction où l'on va car le train fait l'aller-retour Montréal - Deux-Montagnes. Un bon coup de bras suffit parfois à les changer de sens. S'ils s'avèrent récalcitrants, on va en ville à reculons sans plus de cérémonie.

L'éclairage naturel réduit, les rares petits lustres aux abat-jour de verre décoré et le tunnel dans lequel on circule pendant la moitié du trajet découragent bien des lectures et favorisent la méditation. Côté chauffage, rien à redire ; on espère seulement n'avoir pas choisi le banc sur le « grilloir ».

Les jours de malchance, on attrape le wagon aux planchers croches, aux banquettes mitées et aux dossiers de six pouces de haut, ce qui fait qu'on a la tête appuyée dans la fenêtre. Dur pour la sieste.

Voyage sans histoire à cinq arrêts immuables, chemin alternatif au verso des maisons. Côté cour des entrepôts et dans les entrailles du Mont-Royal, on atteint en vingt minutes, bon an mal an, beau temps mauvais temps, le cœur du Montréal trépidant.

23 mars

Ils sont revenus ! Nul autre que mon grand timide chante dans le pommettier. Roseline, perchée dans la couronne de bienvenue, scrute, fouineuse, l'intérieur de la maison à travers le vitrail de l'entrée.

Le couple travaille à temps partiel. Les roselins folâtrent autour du nid, s'aiment ici et là. En attendant les responsabilités familiales, je suppose.

Un oiseau pond-il plusieurs œufs le même jour ? Quatre *jelly beans*, ça fait gros dans le ventre d'une Roseline.

* * *

6 avril

Ils ne volent plus autour de la porte. Muscari, l'énorme chat persan des voisins, vient chercher sa ration de caresses tous les matins depuis l'arrivée du printemps. Confusion des espèces. Mes roselins ont peur de cet inconvénient gris bleu aux longues moustaches, au nez aplati et aux ancêtres redoutables. Je serai privée de mon spectacle printanier.

Au retour du Palais, je contemple le nid inachevé à portée de la main.

Comme les petits, j'ai plaisir à reprendre et reprendre encore mes itinéraires de prédilection. Pour compenser. Pour souffler. Je suis les cailloux, retrouve les chemins, répète les routines, sans me lasser. Et cela me berce.

Aujourd'hui, autour du cap Saint-Jacques, je « vais aux orioles » puisque les feuilles naissent à peine. C'est la saison où ils sont fous. J'aime les êtres doux, sans méchanceté, sans stratégie.

Le long du sentier qui serpente au bord du lac des Deux-Montagnes, le concert n'en finit pas. Cent dix espèces d'oiseaux forment un chœur inouï. Des petites boules citron jouent à cache-cache. Un martin-pêcheur veille, immobile, comme sur les billets de cinq dollars. Un colvert et sa dulcinée glissent furtivement sur la rivière. Un oiseau à cagoule bourgogne ? Je renonce à l'identifier, tout comme les trente-six sortes de parulines ; le grand héron perplexe pense comme moi.

Les oiseaux m'étonnent tant que j'oublie où mettre les pieds. Je me retrouve dans l'eau jusqu'aux mollets : le printemps conserve ce droit d'inonder les berges.

J'invente un raccourci. Les carouges m'accompagnent ; « Oh Henri-i-i-i ? » Les mâles s'appellent-ils tous Henri ? Je reviens par l'Anse-à-l'orme. Le drame couve ici ; la moitié du terrain a disparu dans le lac. C'est tout autour que se trouvent les orioles, par couples, exaltés et glorieux. Ils batifolent sur les arbustes de ce qui reste du globe.

Mes collègues de travail ont compris. À la fin mai, je ne prends des rendez-vous qu'en après-midi pour cause d'orioles du Nord, famille de Baltimore. Car la mafia ailée me tient dans ses serres.

Pour la détente, de mai à septembre, je deviens membre d'un club non huppé. Je m'y adonne à quelques sports : tennis, natation et transat au bord de l'eau. J'apprécie cette dernière activité à la fin des jours où témoins et avocats ont été de véritables moulins à paroles. Une tactique des avocats en interrogatoire consiste à interrompre les témoins, à les forcer à répondre vite et à les provoquer pour arriver à leur faire cracher la vérité. Plus les interlocuteurs se coupent la parole, plus le mot à mot risque de devenir imprécis, plus la tension monte et plus les sténographes sont stressées.

Les fins de jours de grande turbulence, je m'installe à mon club non huppé, face à l'ouest ; j'écoute les bavardages des oiseaux, goûte la brise, profite du soleil qui tombe à pic dans la rivière. A cause de mon faible pour la contemplation, je me fais traiter de « *No* ». On dit que je fréquente la *Pointe des No*, la péninsule des snobs qui ne veulent pas se mêler. Bon. Je continue à respirer par le nez sur la *Pointe des No.*

Être *No*, à mon sens, c'est bien autre chose. J'ai entendu un vrai *No* au Palais :

« Non, non et non. Je ne veux plus avoir à me poser de questions. Je n'ai plus à m'en poser : j'ai tout décidé. À la maison, à mon travail, au Palais, tout est réglé pour toujours.

» Mon orientation, professionnelle, sexuelle, religieuse, financière, je ne veux plus en parler. Tout est planifié. Je ne veux plus rien apprendre. Mon objectif, c'est de ne plus avoir d'objectifs à me fixer. Je suis bien comme ça. Quelle libération ! Et ne me parlez pas de collectivité ou de communauté. Régler les problèmes des autres, à d'autres ! Ma vie est tracée. Restera le casse-tête ultime : crémation ou enterrement. »

Au stade de l'interrogatoire au préalable, le procureur de Monsieur interroge Madame, qui réclame une pension alimentaire pour les filles du couple. Madame doit répondre uniquement aux questions. Elle aura le loisir de compléter sa preuve devant le juge. Visiblement, elle n'est pas au courant de la procédure. Je vois l'exaspération chez elle.

J'imagine l'aboutissement de vingt ans de vie commune, l'enchevêtrement d'émotions qui se bousculent. Inquiétude, tristesse, usure, mémoire du passé faite de passion comme de fatigue. Je me mets dans la peau d'une femme paniquée, déroutée par la procédure. Elle en veut au père de ses enfants et à tous ceux qui font mine de cautionner son retrait.

Je lis dans ses yeux ce que j'appelle le « Manifeste du témoin interrompu ». Je traduis ce que la stupeur l'empêche de nommer :

« Au secours ! Assez ! Je demande une injonction qui ordonne la fin de cet interrogatoire policier. On m'empêche de parler; on me fait passer pour une menteuse, une mauvaise mère, voire une criminelle. Il y a toujours un bout !

» Je tente de placer quelques mots quand l'avocat de la partie adverse reprend son souffle. Il m'interrompt systématiquement. Il insinue, gonfle, simplifie. Toujours à son profit. Au profit de mon ex-mari, je devrais dire.

» Où sont les faits pertinents dans tout cela ? À l'intérieur de quatre murs, d'abord.

» Pour justifier mon "État de revenus et dépenses", je dois préciser le montant que me coûtent mensuellement serviettes sanitaires et tampons pour mes trois filles et pour moi-même. Je défie le juge de me croire. C'est le dernier de ses soucis et un de nos besoins élémentaires, ne lui en déplaise.

» Je soutiens dans leurs études, leurs amours, leurs espoirs, leurs dépenses, ces trois magnifiques ados, à qui on peut attribuer maintes qualités, mais qu'on ne peut décrire comme autonomes. Je n'accepte pas qu'un juge décide de mon sort et de celui de mes enfants en se basant sur quatre-vingt-deux réponses incomplètes, interrompues par le procureur de la partie adverse.

» Mon mari refuse de verser une pension alimentaire convenable sous prétexte de devoir rénover la résidence secondaire où il prendra sa retraite.

» J'exige d'être entendue à propos de tous les faits et de tous les chiffres en jeu.

» René, monsieur le Juge, monsieur l'avocat, nos enfants ne se calculent pas en valeur dépréciée. »

Au Palais, il assistait à l'audition de la première cause de la première juge. Personne ne connaît mieux que lui le rôle du jour. Il arrive avant la meute journalistique au comité de discipline du Conseil de la magistrature où on reproche à un juge ses propos tendancieux. Il peut prédire la cause qui fera jurisprudence à la Cour d'Appel. Il connaît la nouvelle flamme du procureur de la Couronne. Il rectifie les renseignements donnés par les préposés à l'information. Il peut réciter le menu de la cafétéria pendant vingt et un jours.

Il s'appelle Cyrille.

Aux procès qu'il suit religieusement, il prévoit l'ordre des témoins, devine la preuve à venir après l'enquête préliminaire et connaît les manies des figurants. Personne ne peut décliner avec autant de précision la composition du jury ni prédire mieux son verdict, le cas échéant. Je le soupçonne d'en savoir presque autant que le délateur, dans certains cas.

Le Palais de justice est son univers.

On sait peu de chose de Cyrille : son nom, qu'il est retraité. Il est plutôt réservé, mais il est là, au lieu le plus pertinent, au procès le plus retentissant, à l'enquête qu'on voulait tenir secrète. On dit même qu'il aurait prévenu des types de l'arrivée imminente de la police. Je l'ai vu prendre le thé avec un juge d'Ottawa.

Je croyais que les savantes plaidoiries jurisprudentielles avaient raison de lui, mais je l'ai aperçu l'autre jour à la bibliothèque du Barreau, au dix-septième étage, devant quelques tomes spécialisés, à la table où on a le Mont-Royal versant sud comme vue, la meilleure. L'ordonnance de huis clos uniquement lui interdit l'accès au prétoire.

Puisque Cyrille a révélé si peu à propos de lui depuis les années qu'il hante les couloirs du Palais, on est porté à imaginer le reste. Par exemple, qu'il est marié à une fanatique des lotos et casinos. Que leur logement de Montréal-Nord croule sous l'encombrement de six télés, d'autant de micro-ondes et de multiples tranche-oignons gagnés au bingo. Que Cyrille se compte bien chanceux au jeu : sa tendre moitié lui laisse la paix, de B1 à O75, entre la 6/49 et les machines à sous.

Le jour où elle gagnera le million, elle passera le chercher au Palais en limousine blanche et l'invitera à gagner avec elle un paradis caraïbe. Il refusera net son offre, souriant à sa réalité nue, son unique préoccupation, sa passion, son vice : le Palais.

Me William Tremblay, dit Bill Shake, se pète les bretelles qu'il n'a pas l'originalité de porter, en route à grands pas vers sa BMW. Il a gagné. Il a « planté » son adversaire comme on aurait achevé un Caïn, sous l'œil amusé du juge qui trépignait, complice.

La terre tremble là où il passe. Il a le triomphe bruyant, l'impatience aussi. Tantôt, sa secrétaire se plaindra qu'il est toujours de mauvaise humeur et qu'il cherche à mener tout le monde au doigt et à l'œil. Ce soir, sa conjointe lui reprochera de déverser sur elle son stress à propos de rien, c'est-à-dire de la rendre responsable des défauts de la cafetière à piston. Ses enfants le fuiront parce qu'aussitôt arrivé, il s'emparera de la télécommande et s'isolera en tête à tête avec le petit écran. Ils adorent quand Bill Shake les accompagne à leurs activités mais trouvent qu'il veut trop les voir gagner. Il exige d'eux l'excellence en tout et ne commente que les résultats spectaculaires.

Dans le milieu judiciaire, on considère Bill Shake comme un excellent avocat, batailleur infatigable quoique mauvais perdant. On le salue bien bas. Il pourrait accéder bientôt à la magistrature.

Certaines personnes sont persuadées qu'elles ont toujours raison. Autant les voir sur le banc d'un juge plutôt qu'ailleurs.

Je recueille le témoignage d'un délateur. Il en sait long.

Un ressort vient de lâcher. L'avocat criminaliste a une boule dans la gorge, autant dire le globe terrestre. Il n'est plus capable de parler. Son état va bientôt étonner. L'estomac plein d'eau de vaisselle, les jambes molles, le cerveau en courant d'air, plus un mot ne sort de sa bouche. C'est l'évidence, il vient de prononcer sa dernière phrase comme conseiller juridique. Son client, assis sur le même banc que lui, ne saisit pas encore la réalité : son avocat est devenu muet.

Le criminaliste a peur. La trouille. D'être assassiné. Là. En même temps que son client, meurtrier et délateur. Par le même tueur. Pour assouvir la même vengeance. Par la même balle. Proprement. Sans gaspillage.

Le client s'énerve, c'est compréhensible. Son procureur est désormais incapable de défendre ses violences. Il l'assassine de son œil torve.

J'en meurs moi aussi. De peur. Parce que je suis assise sur le même banc.

Une interruption de service de la ligne deux du métro me rend anxieuse. Pour arriver à l'heure à mon rendez-vous au bureau d'avocats, je saute dans un taxi. Le chauffeur, un drôle de pistolet, m'aborde curieusement :

« Je ne pourrai jamais faire de cinéma. Un de mes rêves à l'eau. Regardez la bosse sur ma tête et la cicatrice dans mon dos. Je guéris d'une attaque à la bouteille et à la carabine.

— Quel métier ! Mais comment avez-vous survécu ?

— Un miracle, madame. Mes assaillants doivent être les plus surpris. Ils étaient trois hommes à prendre mon taxi, avec un cartable à dessin. Un premier m'a donné un coup de bouteille sur la noix. À l'endroit le plus dur. Il n'a pas réussi à m'assommer. Le deuxième m'a pris à la gorge par derrière l'appui-tête. Je l'ai désarçonné en défonçant le coffre à bagages de la voiture devant nous, klaxon au max. Là, j'ai senti une chaleur dans le dos : le troisième m'avait atteint de deux balles, qui sont ressorties en ricochant sur une côte, chose que j'ai apprise plus tard à l'hôpital. Je me suis précipité dehors en appuyant sur le bouton qui verrouille automatiquement toutes les portes. J'étais debout à l'arrière de mon taxi pendant que les trois rats restaient figés dedans. Je ne savais plus quoi faire. L'auto-patrouille est arrivée : le chauffeur de la voiture précédente avait appelé la police. Moi, je faiblissais.

— Quelle histoire ! Avez-vous pensé à faire valoir vos droits et réclamer comme victime d'un acte criminel ? Un organisme gouvernemental s'occupe des gens comme vous. Vous méritez un dédommagement. Encore que ça représentera bien peu compte tenu du choc que vous avez subi et de la peur qui doit maintenant vous torturer.

— J'ai pas peur.

— Pas plus qu'auparavant ?

— J'ai jamais eu peur depuis quinze ans que je fais ce métier-là.

— Vous êtes un brave. Mais il doit bien vous rester une certaine méfiance ? Vous devez surveiller vos clients ? Éviter ceux qui ont l'air louche ? Travailler de jour plutôt que de nuit ? J'ai peine à croire que vous restiez aussi confiant.

— J'ai pas peur du tout.

— La crainte ne vous paralyse pas, à l'évidence. Alors, vous auriez de la difficulté à convaincre un fonctionnaire de séquelles psychologiques liées à cet événement.

— Je suis pas peureux de nature.

— Je vois ça. »

Changement d'à-propos, je lui demande si la plage Doré sera ouverte pendant le week-end, qui s'annonce du genre à fracasser des records de chaleur. Les bras me tombent quand je comprends que nous entretenons des peurs de natures différentes :

« Hein ? Vous voulez vous baigner à la plage Doré ? Vous avez pas peur du sida, vous ? »

Quai Val-Royal, 8 h 25. Je prends le dernier train. Mon intuition devient réalité. Mon train tombe en vacances. Parce qu'il tombe en lambeaux, mon train est en déroute. Les voies sont en démanche. Le temps est venu des grands dérangements, des gros travaux, des énormes budgets. Je m'ennuie déjà des wagons désuets. J'appréhende le résultat. Que sera devenu mon train, ma bête ? Quel sort aura-t-on fait subir à mon dragon à plume ?

Quelques passagers plus alertes font un pas en arrière en apercevant la grosse bête soumise s'emballer tout à coup et ignorer la courbe de la voie. Dans un gémissement courroucé, le train de banlieue déraille, rase gare et quai et toutes âmes qui y vivent. Corps, aciers, dormants explosent dans un spectaculaire chaos. C'est ainsi — je l'imagine — qu'un dragon à plume qui se respecte se doit de souligner la fin de ses états de services.

* * *

Pour le vrai, en l'espace de deux heures, la gare a disparu. Et l'attente commence.

Quelques mois plus tard, les habitués voient apparaître, à la place du dragon à plume, un train profilé en acier inoxydable, tout confort et parfaitement éclairé, qui roule sans heurts et sans reproches jusqu'au centre-ville. Les abords de la butte ont été réaménagés. Des abris vitrés remplacent la gare. Val-Royal se nomme maintenant Bois-franc.

Les employés ont disparu. Une machine jaune métallique affiche en français ou en anglais, indique le tarif selon la destination, imprime un ticket horodaté quand on paie son passage et rend la monnaie. On ne lui a pas appris à vendre *Le Devoir*. Des vérificateurs de tickets peuvent apparaître n'importe quand au cours du trajet, comme des consciences ambulantes.

J'ai la nostalgie de la chaleur du ventre de mon dragon à plume. Son clair obscur me manque. Côté sécurité, le nouveau monstre rutilant me convient. Il pourrait fonctionner automatiquement, virtuellement si cela est possible, que je ne serais pas le moins du monde inquiète. Ses logiciels et manettes inspirent confiance.

On ne peut en dire autant de la machine jaune. Je la trouve moche. Si on touche trop vite un bouton, elle rejette nos choix en bloc et il faut tout recommencer. Un préposé aux billets lent, c'est normal. Mais une machine jaune sans vivacité, une distributrice de tickets qui ne prend pas la pression, aberrant.

S'il fallait que je sois au travail aussi lente que la machine jaune, il y a longtemps qu'on ne s'arracherait plus mes services, qu'on les aurait remplacés par une machine. On les remplacera de toute manière par une machine qui reconnaîtra la voix, devant laquelle on parlera lentement, chacun son tour, devant le micro. On poussera la courtoisie jusqu'à répéter et à épeler, pour la machine, les mots techniques et les noms bizarres, avec le sourire.

À force de travailler dans les cours, je suis portée à fonctionner selon les processus judiciaires. Je ne supporte plus les imprévus. On doit me soumettre des déclarations claires et étayer les affirmations qu'on veut soutenir de preuves concrètes plutôt que d'ouï-dire. On doit produire ses pièces à temps, annoncer ses couleurs et prévoir les volte-face. Je ne tolère plus les délais indus, et pour la participation au ménage particulièrement — mon Waterloo, ma névralgie — mes enfants se le tiennent désormais pour dit.

Dans les dossiers chauds, on ne procède avec moi que par motion. Motion délicate et discrète, il va sans dire. Quand le temps presse, on me fait une requête, que je décide d'entendre au moment opportun.

J'affirme mon faible pour le décorum. C'est devenu plus fort que moi, les choses doivent se faire dans les formes. À l'usage, je trouve qu'il y a des avantages à se faire appeler Madame.

Déterminer le droit permet de rendre des décisions exécutoires. D'autre part, exercer le pouvoir fait qu'on prête flanc à la critique, parfois sur la place publique. C'est l'envers de la médaille de la puissance de ceux qui jugent.

Quand on s'adresse à moi, on se réclame parfois des droits de la personne. J'entends les causes selon la constitutionnalité. On plaide l'art antérieur, l'usage ou l'apparence de justice. Mais l'argument massue de la justice naturelle reste le favori. On ne peut aller à l'encontre du gros bon sens. Quand il est question de justice naturelle, l'argumentation se prolonge, frise la démesure. Bref, on plaide, on joue, on joue sur toutes les cordes d'un violon très ancien, irremplaçable, inénarrable, ineffable.

Depuis peu, mes enfants réclament à grands cris une Cour d'appel, un niveau supérieur qui aurait juridiction pour réviser mes décisions. Je leur dis que s'ils réussissent à faire reconnaître leur point, je réclamerai à mon tour un troisième niveau, une espèce de Cour suprême, où mon expérience et mes prérogatives commanderont que je sois nommée illico.

Je suis vidée. Tellement que je suis morte. Et je flotte. Le courant faible me chatouille le dos. Ma dépouille erre au fil de l'eau. Je tâche de ne pas m'emberlificoter dans les branches des arbres qui jonchent les rives de la Doncaster, à Mont-Rolland. Je déteste être prisonnière.

Après les cascades en amont de l'ancien moulin, abruptes mais franches, le virage se négocie difficilement. Le sable au fond m'aide à effectuer la manœuvre en douceur. Ensuite, mieux vaut obliquer vers la gauche. La glissade sera longue et cahoteuse. À droite, je me casserais le cou : un mince filet d'eau devient une chute vertigineuse qui s'abat d'aplomb sur une masse rocheuse horizontale.

Quand la pleine lune éclairera les eaux noires, j'apparaîtrai dans ma splendeur : noyée intacte, cheveux épars, joues mouillées, robe diaphane.

Je continue à descendre le courant. La règle n'a pas changé. Je dois aborder le « V » des cascades au centre, sinon je chavire, prisonnière des rochers, écume au flanc. Les descentes de rivière en famille à la base de plein air m'auront servi à quelque chose.

Personne dans le sentier des chutes. Tant mieux. Oh ! Oh ! On dirait que je me tape les glissades d'eau des grandes vacances. La Doncaster a le temps de me charrier dans la fosse glauque près du *Refuge à Eddy* avant l'arrivée des premiers randonneurs du jour. Le lieu me semble plus convenable. L'apparition d'un cadavre qui s'amuse à dévaler les joyeux rapides provoquerait des syncopes.

Munie d'un petit moteur, j'aurais l'air d'un insecte patineur en tournée. Évidemment, si j'avais choisi de me noyer dans un immense lac noir au fond farci de troncs pourris, je risquerais moins d'apparaître abîmée. Mais j'ai un faible pour la Doncaster.

Je n'ai aucun mérite. Je me trouvais dans des conditions idéales : un certain âge, un job parmi des avocats, une maladie chronique, un conjoint disparu, des enfants qui m'oublient, peu d'amis. Souffrance en perspective, isolement en prime, rien d'original.

Près du pont, au plus profond du calme de la rivière, j'ai fait le grand saut. Les cinq dernières minutes m'ont paru pénibles.

Dans le bain flottant du Centre de santé — le gros coffre dans lequel on s'engouffre et où on flotte à la noirceur sur quelques dizaines de litres d'eau gorgée de sel d'Epsom —, je m'imagine dépouille pensante sur le dos de la rivière Doncaster. La relaxation par le cadavre, pourquoi pas !

Robin, mon client préféré, m'a amenée descendre en canot la Rivière-des-Prairies, de l'Ile Bizard à l'Ile Paton. Comme je me suis bien débrouillée, il me propose une descente de rivière plus sportive — R2 R3 (rapides de deux ou trois pieds de haut). R30 m'apparaît la norme, mais ça concerne plutôt l'isolation des maisons.

« Robin, vous êtes mon guide. J'apporte le chasse-moustiques, la crème solaire, ma veste, mes vieux souliers et ma bonne volonté. »

Je connais exactement trois choses en canotage : l'appel, l'écart et le coup en « J », qui concerne l'avironneur arrière, si je me rappelle bien. Je sais aussi qu'au départ je dois m'agenouiller après avoir gagné la pince du canot en m'appuyant également de chaque côté ; qu'on avironne efficacement en plantant l'aviron droit dans l'eau et en complétant le mouvement.

« Pour le reste, je vous fais entièrement confiance, Robin. Vous identifiez la veine dans le chaos des cascades et vous ordonnez le mouvement à exécuter. Je joue dans le ton. Je suivrai vos instructions à la lettre. »

Rien de trop extravagant d'abord. La rivière se comporte comme sur la carte. J'ai tout le temps pour humer l'air doux, pour me dire que le milieu judiciaire n'a rien de judicieux ici et que je peux l'oublier. Un petit courant pas contrariant du tout.

« Comment dit-on ? En kilomètres-heure ou en nœuds ? »

Des bouillons juste pour le plaisir de sentir les eaux vives qui travaillent, on dirait, avec nous. Ça roule tout seul. Le paysage file andante.

Puis le murmure grossit. On voit venir de la turbulence, qu'il ne faut pas prendre à la légère ni de travers, je devine. Je suis tout ouïe et c'est comme si l'ordre de Robin se transmettait instantanément à mes muscles. Notre canot fonce.

« Dois-je vous prévenir de ce que je vois ? Ça commence à descendre en escalier ! »

Ça gratte par le fond, juste sous mes orteils. Pour dire que c'est là. Violents coups à droite. Des bouillons bien vivaces. Ça mouille.

« Est-ce que je fais ça correctement ? Je ne lâche pas. Je ne vois plus rien. Ma vie est entre vos mains. »

Ça mijote. Ça claque. Ça vire. Ça craque. J'agonise à genoux; c'est plus chrétien. J'aperçois une éclaircie. Non, c'était un mirage.

« La fibre de verre, ça résiste à quoi ? »

Oh ! une autre descente. Il faut garder le cap. Ça saute. Nous collons au canot.

« Comptez sur moi pour le “collage”, j'ai l'habitude des autobus ! »

J'espère ne jamais apercevoir une roche qui affleure, un iceberg assassin. Théoriquement, c'est impossible à cette période de l'année : la rivière est grosse de ruisseaux fous.

Pas de roches, mais beaucoup de vif-argent.

« Voyez-vous ce que je vois ? À droite toutes ! ÉCART en majuscules ! »

On effraie les hérons. Pas le temps pour les excuses. Ah ! on doit être rendus au sous-sol. En canot, il faut tout faire pour reculer dans le but d'avancer.

Alléluia ! Une fosse calme. On ralentit le rythme. Mes nerfs lâchent ; tellement qu'ils me fournissent de la corde pour me pendre.

« Robin ! Vous avez le courage de rire ? »

Fausse accalmie ! Le tumulte ne me quitte plus entre les oreilles. Ce n'est pourtant pas faute de vouloir.

« Attention ! Baissons la tête ! »

Les branches caressent la rivière. N'ont pas souvent de la visite.

« Sauvons les bagages ! Je ne suis pas fameuse au plongeon-récupération. »

J'ai besoin d'un largo, pas d'un « presto ». J'ai revu ma vie entière, lucidement, dans un flash. Est-ce ainsi qu'on meurt de peur ? Les bateaux du Parc Belmont de mon enfance me faisaient déjà tout un effet. Quand je dis que je suis incapable de descente aux enfers, c'est au propre comme au figuré.

« Robin, Robin des rivières, je crains de n'avoir pas de talent. Je ne trouve aucun plaisir à avoir peur. »

« Je suis coupable d'évasion. » (p. 139)

« R30 m'apparaît la norme, [...] » (p. 123)

« Quand le boulot m'éteint, je décroche. » (p. 21)

« Le bois a pris des teintes surprenantes. » (p. 54)

« Le long du sentier qui serpente au bord du lac des Deux-Montagnes, [...] » (p. 105)

« [...] dans la fosse glauque près
du Refuge à Eddy *[...] » (p. 121)*

« […] une course de nuages. » (p. 59)

« Je dois aborder le “V” des cascades au centre, [...] » (p. 121)

« La verdure s'épuise sur fond sang et or, [...] » (p. 73)

« Les chardonnerets fredonneraient pour les mésanges, [...] » (p. 160)

« Sous le nez de mon monstre. » (p. 173)

« Le soleil arrive à percer malgré tout. » *(p. 83)*

Au Palais, quand les histoires me terrifient, j'invente un printemps, je m'enfuis, je m'évade, je m'écris. On m'accuse de fatigue. Je suis coupable d'évasion. Je prends mes juges à témoin.

Yvonne est à son affaire. Aussi correcte, aussi droite, aussi réglée que les rayures gris souris de sa jupe gris pâle. Un petit jabot bien empesé l'oblige à tenir la tête droite. Une courte veste noire cintrée complète l'ensemble et laisse voir des poignets blancs volantés. Bas et souliers noirs, il va sans dire, sans talons démesurés. Cette tenue stricte et la taille minuscule donnent l'impression d'un petit bout de femme déterminée et efficace, en qui on peut avoir confiance.

Son diplôme en droit fait d'Yvonne une registraire hors pair. Les juges adorent travailler avec elle ; elle devance leurs désirs. Elle a en mémoire toutes les pièces du dossier et peut les retracer instantanément. On ne la prend jamais en défaut pour ce qui est des procédures et de leur séquence. Les procès-verbaux qu'elle tient, fidèles comme une copie carbone, démontrent rigueur et minutie. Les avocats peuvent se fier à sa mémoire s'ils ont oublié une locution latine comme assaisonnement à leur plaidoirie. Elle leur suggère des arguments et la jurisprudence qui les soustend. Elle peut assermenter les témoins en douze langues et cinq religions.

Yvonne fait preuve d'une vive intelligence et d'une fine sensibilité. Les parties regrettent qu'elle ne soit pas le juge qui entend la cause.

Depuis quelques semaines, on ne reconnaît plus Yvonne. Dans la lune, sourire énigmatique, elle flotte au-dessus du juridique. Yvonne est enceinte. Elle couve son bonheur.

Puisqu'on a réglé le sort du trafic maritime du Canada en Cour fédérale ce matin, je prends le temps de luncher et de respirer le printemps à vélo.

Le resto *Il était une fois* signifie hamburgers pour gros appétits. Il y en a pour deux dans une portion. L'endroit est rempli d'antiquités. Les affiches métalliques anciennes font refluer des pans d'enfance: Mobilgas et le cheval volant rouge, Peer's et d'autres boissons inconnues, comme Flirt, toutes à cinq sous ou moins. Beaucoup d'annonces de cigares et de médicaments. Presque toutes en anglais. Une vieille glacière en bois, une truie. Ça m'apparaît vieux, vieux, vieux.

Je pédale le long du canal Lachine, les sens un peu mêlés après un long hiver. La douceur de l'air, je la goûte. La glace du bassin cale, je la hume. Le gazon renaît, je l'entends. Les cyclistes en shorts et mitaines espèrent, je les sens.

Le Québec fourmille d'avocats. En un an, j'en rencontre des centaines. Maître Xavier a l'air vieux jeu. Sans doute un air qu'il se donne. Peut-on, de nos jours, porter des lunettes cerclées d'or rattachées à une chaînette, une montre de poche et une veste à carreaux voyante sans se déguiser ? Est-il déguisé pour jouer ou pour plaider ? Les deux activités se ressemblent tellement.

Maître Xavier, jeune quarantaine, se donne l'air des hommes de loi de la fin du siècle dernier. Il joue le malicieux à coups de « n'est-il pas vrai que… ? » Il ébranle les crédibilités en insinuant le quart de l'ombre d'un doute. Reprenant les faits un par un, il questionne à propos des détails, nuance par nuance, jusqu'à épuisement du témoin. Jusqu'à ce que celui-ci confonde « je ne me rappelle plus » avec « je ne sais pas ».

« Est-ce parce que vous ne vous rappelez pas ce que vous avez dit ne pas savoir il y a cinq ans ou est-ce que vous vous rappeliez ce fait auparavant mais l'avez oublié depuis l'événement ou est-ce qu'au fond vous ne l'avez jamais su ? C'est plutôt cela, n'est-ce pas ? Où est la vérité ? Vous ne répondez pas ? »

Je préférerais courir le marathon plutôt que de subir un contre-interrogatoire par Maître Xavier. Je risquerais de lui enfoncer les doigts dans les orbites. J'aurais les doigts sales et l'âme en paix. Le plus inquiétant serait la suite des événements et ce qu'il pourrait plaider s'il ne devenait pas légume.

Maître Xavier exerce sa profession comme un ébéniste maniaque. Il rabote, lime, ponce, jusqu'à ce qu'il trouve le nœud dans le cœur du bois. Là, il l'attaque au plus tendre pour voir l'orifice de la planche éventrée. Le « lignophage » !

Il fait semblant d'oublier l'essentiel et invente tous les détours pour trouver une faille chez l'adversaire. Il intuitionne les faiblesses des déposants et pique leur orgueil pour leur faire cracher des admissions. En tordant la vérité, il revient avec un sonore « Alors, je comprends bien que… » pour mettre K.O. le témoin sidéré. Jugement en poche, il réclame des honoraires qui n'ont rien à voir avec la fin du siècle dernier.

Lunch à une terrasse un 24 octobre. De l'été indien pure perle. J'occupe mon coin préféré, à l'ombre d'un tilleul. J'observe les passants, rue Saint-Denis :

Décolleté plongeant combiné avec une salopette ;

Collant et écharpe mauves, escarpins de suède noir ;

Chemise de flanellette fleurie et fume-cigarette ;

Gilet sobre agencé au pantalon de lainage blanc, ceinture fléchée ;

Lunettes violettes et jaunes fleuries, veste et pantalon d'équitation ;

Blazer, collant et casquette à palette longue comme ça ;

Taille minuscule engoncée dans une robe de léopard, bibi à l'avenant ;

Jeans noirs, col roulé noir, crâne pelé, queue de cheval ;

Peau brune d'Amérique du Sud, amulette d'argent ;

Peau mauve du Pakistan, veste d'agneau.

Menu original !

* * *

Cheveux blancs en brosse par la main avec cheveux blonds en brosse, robe longuette foncée et châle brillant, ils causent ;

Veston de tweed, casquette et regard perdu, il écrit un poème ;

Anneau dans le nez, chemise à carreaux et boxer en laisse, elle fume ;

Seins flottants, pantalon ajusté, bottillons italiens, elle se presse ;

Blazer rose, pantalon noir, cheveux en couronne et *The Gazette*, elle se méfie des souverainistes ;

Taille maxi, gilet imprimé et ruban pour appuyer la lutte anti-sida, il pleure ;

Cravate folle, veston de suède, mains dans les poches, il arrivera en retard ;

Col déboutonné, chaussettes blanches, *loafers*, cheveux gominés, il flirte ;

« Carpette » (poils du thorax, selon mes enfants) à l'air, casquette de Fidel, il materne ;

Tailleur Chanel, T-shirt bleu pâle, maquillage du soir, elle danse. Blouse de soie imprimée vert limette, bretelles, elle a oublié ses jumeaux ;

Blouson polaire fleuri, lunettes de soleil, peau jaune, langue française, il s'éclate ;

Lunettes hippies, sac de tapisserie, col Mao et passementerie, elle jure ;

Casquette des Lakers, T-shirt *against animal testing*, pantalon de nylon, il assassine du regard ;

Deux bébés en poussettes, deux mères en conversation, un père empressé, ils sourient ;

Tresses afro, veste scandinave, walkman, elle voyage ;

Chemise de soie, chevelure poivre et sel, bicyclette orange, jumelles au cou, elle observe les oiseaux.

Bel éventail de candidats pour des plaideurs en mal de jury !

* * *

Plume Mont-Blanc, veste rayée, jupe portefeuille, elle joue au mentor ;

Bombe d'équitation, programme de la Place des Arts, canne à pommeau de gargouille, elle reluque ;

Chinois à toque de cuisinier, OUI à la boutonnière, il grignote son cure-dents ;

Comédienne connue, tailleur rouge, souliers rouges, sourire rouge, elle blêmit ;

Chevelure blanche taillée en balai, accent français, short, il pédale sur son vélo high-tech ;

Jeans coupés aux genoux, torse nu, cheveux teints, il oublie ;

Bandeau amérindien, imper longuet pantalon citron, elle m'offre un bouquet de feuilles mortes ;

Veste sans manches de soie rayée, boutons en forme de grelots miniatures, capuccino, ça c'est moi.

Je n'y suis restée qu'une heure… d'été indien pure perle !

Les juges décident, dans des dossiers dits de la « Chambre de la famille », des droits de garde d'enfants et des pensions alimentaires à verser. Il s'agit d'organiser les chiffres selon la loi. Idéalement, ils concordent avec les besoins et les sentiments.

Les mathématiques des revenus et dépenses, des jours et des heures de garde, font surgir toutes sortes d'émotions chez les parents et les enfants. Même périlleux, l'exercice s'avère nécessaire, à revoir continuellement. La vraie vie des familles. On devrait pouvoir régler ces questions ailleurs que devant un juge.

Confidences d'une enfant soumise au système de la garde partagée. Elle venait de visiter les parents de la copine de son père.

« Ça faisait longtemps qu'ils avaient vu ça, une enfant, si j'en juge par les "hélas" qu'ils ont dits en m'apercevant. Je portais ma plus belle robe, la rose avec une boucle de velours, j'étais mignonne.

» Ils m'ont servi une grosse assiette, comme s'ils me prenaient pour un éléphant. Maman, elle, me sert des portions d'enfant. Quand je mange presque tout, j'ai droit à un dessert sucré. Moins, je dois me contenter de yogourt ou de fruits. Papa, lui, ça le dérange pas que je finisse mon plat ou non.

» Ils m'ont dit qu'ils avaient un chat, les gens, mais ça avait l'air d'être une sorte de chat sauvage qui s'enfuit quand il connaît pas la visite. Je lui ai pas vu le bout de la queue. Si j'avais pu sortir de table pendant qu'ils parlaient de leur condo en Floride, j'aurais eu une chance de l'apprivoiser avant le dessert. Mais je suis restée assise : j'avais hâte de voir la bombe de l'Alaska. Elle a pas explosé.

» Paulo était parti à son camp louveteau. Une chance. Il nous aurait fait honte, à papa et à moi, avec ses questions stupides. Un frère, c'est plus niaiseux qu'une sœur.

» La copine de mon père, je sais pas trop ce que ça veut dire pour l'avenir. Monic, elle marche comme on danse. En tourniquettes et en sourires. La grand-mère avait un cou de dinde. Le grand-père, lui, disait pas un mot, il mangeait sa lasagne comme un condamné.

» Quand tu aboutis à Notre-Dame-de-Grâce, dans la famille de la copine de ton père, tu te forces pour être sage à côté d'un buffet en bois de "cachou" puis tu t'ennuies de ton amie Vanessa. On aurait pu jouer avec son nouveau jeu de Mémoire ou bien aller patiner si j'avais pas dû souper chez la copine de mon père. Ça doit coûter cher, un buffet de "cachou", au prix qu'ils sont le kilo.

» Il paraît que le juge a dit : "Chacun sa fin de semaine." C'est la garde partagée pour Paulo et moi. Je voudrais le voir à ma place, le juge ; je voudrais voir son air s'il avait oublié son jeu Nintendo chez l'autre parent. Puis je voudrais bien le voir s'ennuyer la fin de semaine où les enfants des voisins en garde partagée se trouvent pas à la bonne adresse.

» Je sais pas pourquoi le juge pense qu'on a besoin de gardes de sécurité partagés quand on a des parents nouvellement divorcés. »

Tout le monde sait que les juges naissent adultes. J'imaginerais volontiers une cour de justice dirigée par des enfants avocats.

La veuve, joyeuse, officielle et judiciaire, fait du charme du toupet au gros orteil. De sa mèche noire en cascade sur l'œil droit jusqu'au bout de son soulier à talon aiguille qu'elle fait pivoter à la Betty Boop. Le sourire en cul de poule, les rougeurs aux pommettes, elle minaude. Les seins fiers, la taille cintrée et les mains disposées pour la manigance, elle se sert de ses atouts comme on respire, les jeux enjôleurs, le geste flatteur.

Pour faire bel effet, la veuve lustre son plumage : elle soigne ses sorties, ses lectures, son sommeil, ses bouffes et ses nippes. Ses cinquante-cinq ans ne la desservent pas du tout.

Mises en plis, robes signées, meubles de style. Le bridge le lundi. Tous les matins, le jus de quatre oranges fraîches, une crème de cœurs de blé, une rôtie aux douze grains. Tous les soirs, une crème de nuit, le dernier best-seller ; pas de téléphones après vingt-deux heures les jours de semaine.

J'ai été témoin plus d'une fois de la façon dont la veuve planifie ses numéros émotifs pour obtenir une faveur du responsable du greffe de la cour.

« Mon cher monsieur Lévesque, les juges n'ont aucune considération pour nous, les sténographes. Nous sommes débordés de travail et les transcriptions pleuvent sans qu'on songe à repousser les échéances. »

La veuve m'incite à appuyer ses dires et ses larmes par des soupirs et des récriminations. Cela protège sa crédibilité.

« Même la petite n'y arrive pas ! »

Moi, je ne suis ni braillarde ni charmeuse.

Le veuvage charmant se traduit de façon moins mielleuse auprès du vieux sténographe homosexuel alcoolique. La veuve s'incline devant la grande culture cinématographique de celui-ci les lendemains de visionnement de films de répertoire. Mais les lendemains de cuite, elle lui reproche ses absences et l'apostrophe comme on visse une vis. Lui n'est pas bricoleur.

Ceux qui méritent l'approche séductrice de la veuve occupent habituellement les postes d'administrateurs, procureurs ou juges. Rarement des fonctionnaires. L'attendrissement se passe à l'opéra, à des vernissages ou à des lancements courus. La grand-messe à l'église Saint-Germain d'Outremont s'avère une occasion hebdomadaire de charmer. Quelques soupers dans des restos huppés peuvent aussi servir. Si on voit souvent la veuve en galante compagnie, elle s'arrange pour qu'on sache bien qu'un simple courtisan ne l'empêche nullement de rechercher quelqu'un à sa hauteur.

Avec les plus jeunes, elle adopte un style humoristique moins langoureux qui séduit tout autant. À preuve, feu son troisième mari, jeune actuaire à peine sorti de l'université.

Ce soir, j'ai rendez-vous avec la veuve. Je la retrouve au salon, bois de rose, satin crème. La mèche teinte, les lèvres peintes, le sourire en coin. Charmante, même morte !

J'attends au bar *L'ajournement,* plutôt contrariée de me trouver encore à l'ombre du Palais en cet après-midi de veille de Noël. Deux camparis n'ont pas raison du stress qui monte.

Je maugrée : « A-t-on idée d'être si en retard. J'ai bien d'autres chats à fouetter. En tout cas, ma fille ne tient pas ça de sa mère. »

La fébrilité des dernières heures au boulot avant les vacances judiciaires du temps des fêtes et le surcroît de travail qui s'y rattache me mettent dans un état second, les nerfs à fleur de peau. Si je dois me fâcher en plus d'être exténuée, il y a des risques que je ne voie plus très bien ce qui se passe autour de moi. Bref, que je fabule.

Les tables se vident. On ne s'intéresse plus à moi, puisque je ne m'intéresse plus à boire. On range les chaises, on ferme. Le garçon accroche une pancarte dans la fenêtre. Je dois partir. Les passants se hâtent sur le trottoir. Je sors en claquant la porte. Je vois rouge.

En face, on a établi un périmètre de sécurité autour du Palais. Tout ce qui bouge encore semble avoir le réflexe de sortir précipitamment. Un juge togé s'enfuit, essoufflé. Son tricorne roule dans les marches.

Il neige et il fait soleil à la fois. Le ciel a pris des teintes impossibles à associer. Des flocons distraits folâtrent un moment avant de se poser, les surfaces s'en trouvent adoucies. Puis le vent se met de la partie. Tout tournoie, tout vire. Le gris devient blanc. Sur le sol enneigé, dans un nuage de fumée bleuâtre, le Palais lève comme une fusée programmée pour un voyage vers une autre planète.

Ma fille arrive dans une forme resplendissante, sans réagir devant le Palais décollé, constatant seulement que sa mère a pris des couleurs.

Les juristes ne sont pas tous tyranniques ou retors. La plupart des avocats travaillent honnêtement, sont capables d'empathie et... paient leurs comptes aux sténographes. Je prends plaisir à côtoyer des professionnels compétents à la recherche de la vérité et du règlement des conflits. Ces avocats font honneur à leur profession et reçoivent toute ma considération.

Maître Vito me séduit. Poli, sérieux, respectueux des personnes, la mèche grise lui conférant l'âge qu'il n'a pas, il inspire confiance. Les témoins décroisent les bras quand il les interroge, se redressent et supportent son regard. En deux temps, trois questions, il évacue leur méfiance. Ses collègues adversaires collaborent volontiers. Les dossiers avancent. Les réclamations se règlent.

Les plaidoiries de Maître Vito dépassent l'épate et le feu de paille, témoignent d'un travail minutieux. Ses présentations éclairées coulent de source, démontrent une analyse méthodique des faits et une connaissance sans faille du droit. Le tout résulte le plus souvent en un jugement en faveur du plaideur.

Le mentor de Maître Vito surveille son poulain avec un sourire de satisfaction qui en dit long. Maître Vito, lui, admire son senior, avec réserve en apparence. Il aspire à devenir un jour aussi habile que lui pour soutirer en un temps record toute la vérité sur les aspects pointus du dossier, en toute justice envers les parties. Il y arrivera.

Au milieu de ses pairs, Maître Vito possède un charisme enviable. Son leadership se fonde sur l'implication dans son milieu et l'équilibre dans sa vie personnelle et professionnelle. Il adore la musique baroque et la pêche au saumon.

Dans les discussions et négociations, il avance sereinement des arguments inattaquables, convainc efficacement en douceur ou consent à jugement avec dignité.

Maître Vito n'est pas mon fils.

22 février

Il fait doux comme si l'hiver avait déserté nos régions. Surprise ! En rentrant les contenants de lait, j'effarouche Roseline et mon grand timide, qui cherchent à se faire voir près de la boîte aux lettres, à livrer leur message de printemps. Nerveux mais curieux, ils s'envolent dans le pommettier et me chantent une chanson gaie.

* * *

12 mars

Le manège reprend. Cette fois, j'ai tout prévu. J'ai mon plan. Je veux le nid et les roselins dans la couronne. Muscari doit voyager par la porte patio. Pour le forcer à comprendre, je répands des boulettes vertes, dites « pour éloigner les chats » près de la porte d'entrée.

Puis je guette la moindre brindille sur le couvercle de la boîte aux lettres, indice d'une joyeuse cohabitation.

* * *

15 mars

Début de nid, tricoté lâche, délicatement posé au meilleur endroit de la couronne.

* * *

16 mars

Muscari trône à ma porte, parmi les boulettes vertes inefficaces, à la publicité trompeuse. Il espère des roselins. Je le vois dans ses yeux presque tendres. Il se délecte en imagination. Ma foi, il sourit. Je m'avoue vaincue. Adieu nichée, encore une fois.

Des roselins m'ont choisie. Un persan aussi. Que faire l'an prochain ?

Je suis au mot, je suis au son. Métier oblige. J'ordonne des nids de guêpes de mots truffés de toutes sortes d'accents. J'applique les règles de grammaire et de ponctuation à des phrases à la syntaxe défaillante, en tenant compte du niveau de langue. Je développe une seconde nature : je transcris tous les témoignages, y compris celui des oiseaux. J'en suis devenue gaga.

Ils rient de nous, finement. Ils sont volubiles. Ils plaident des causes frivoles. Jargon pour jargon, oiseaux ou avocats…

Certains sons en suggèrent d'autres. J'y ajoute de la musique, jamais la même. C'est un art ou un sport. Un jouissif délire.

DIGRESSION ET DIVAGATION
SUR LA LANGUE MATERNELLE
AU PRINTEMPS
INSPIRÉES PAR LE CHANT DES OISEAUX
ET POUR LE PLAISIR DES SONS

« Oie, oie, oie.

» Oie qui rit. Du combo, de Zola, de la tombola.

» Chic, a dit Didi, Mamie. Écris, écris. Et crie. Tirelou, Tiloup, tu louches ! Sûr, sûr, sûri. Sur ma souris. Mes neurones ronronnent, rouges. Rococos, mes mots, au chaud.

» Oh ! Oh ! Henri-i-i-i », fait le carouge au bruant, au faisan, au cou blanc. La tourterelle, maquerelle chez elle, danse le tango avec l'étourneau et le viréo.

» Le colibri, rue de Rivoli, suit le jaseur, le moqueur, le siffleur.

» Un oriole ordonne : "Moucherolle, décolle !"

» Sauve qui peut, le matou m'en veut ! Les chardonnerets fredonneraient pour les mésanges, mes anges, mes roselins, hoche-queue, piouis coquins.

» Gros-bec à ma chouette, ma mouette. Hommages des nuages au large au dur à cuire pluvier kildir, aux fous de Bassan, à l'engoulevent.

» Oie qui rit.

» Oie, oie, oie. »

* * *

C'était une glissade dans la pure folie. Voilà ce qui arrive quand on se laisse aller au son et qu'on invente des printemps.

C’est le printemps à nouveau et je ne peux plus m’arrêter d’écrire.

Éva comparaissait régulièrement à la Cour municipale, pour cause de vagabondage. Tout le monde disait : « Comment ça va, Éva ? Au revoir, Éva ! » à cette grande fille pâle, sympathique, professionnelle de la rue, habituée des courts séjours à la prison Tanguay.

J'ai retrouvé Éva quelques années plus tard, dans le sillage d'Antoine, non loin du Palais. Il n'en fallait pas plus pour que je lui invente un petit bout de vie, un bouquet de fleurs.

Antoine habite une « résidence pour personnes âgées autonomes », boulevard René-Lévesque, un édifice de briques rouges de neuf étages. Huit voies de circulation rapide en façade, deux trottoirs triple largeur, l'aire de livraison des fournisseurs côté ouest, le stationnement réservé aux employés côté est, celui des visiteurs et des soûlards des bars et cinémas pornos de la Main à l'arrière. Aucun arbre, aucun arbuste.

Antoine s'accommode de cet environnement. Il prend l'air sur le jardin du toit. Cinq balançoires de bois teint sont posées là sur le gravier à côté de trois plants d'Impatiens transplantés dans des seaux de graisse recyclés.

Antoine se trouve loin de sa Pointe des Cascades natale, de ses rapides bouillonnants et de sa chicorée sans loi. Il se considère néanmoins en sécurité dans sa résidence, où il occupe une chambre minuscule et prend ses repas en commun à l'heure dite. On s'occupe de son lavage et de son ménage. Un préposé des services sociaux vient lui donner son bain. Ses deux nièces gèrent pour lui son argent et ses médicaments. Tout réglé, tout compte fait, Antoine peut s'occuper à plein temps à vieillir et à mourir. Il le fait en colportant des histoires fausses et en mentant pour les histoires vraies.

Il a de petites attentions pour Clémentine qui habite une chambre semblable à la sienne. Il lui apporte tous les matins son petit déjeuner au lit : elle n'a pas envie de bouger tôt le matin.

Antoine sort rarement de sa résidence, quatre ou cinq fois l'an. Quand ses nièces l'invitent à prendre un repas de fête ou à faire un tour d'auto au bord du fleuve. Les seules occasions où il leur demande de le conduire : pour assister à un service funèbre d'un membre de la famille qui l'a précédé « l'autre bord ». Il n'en rate aucun.

Aujourd'hui, le soleil aidant, Antoine a décidé de faire du spécial. Il sort visiter son frère Sylvio qui habite côté sud du boulevard, à un coin de rue. Ses jambes lui permettent difficilement plus que l'aller-retour.

Il attend longtemps à l'intersection. Il appréhende la traversée. Puis il s'élance, lentement. La première épreuve : marcher les quatre travées de la moitié nord du boulevard René-Lévesque sur un seul feu vert. Arrivé au terre-plein, il souffle fort. « Comme l'attelage de chevaux que le père utilisait pour creuser le canal Soulanges », songe-t-il. Une touffe de pissenlits le distrait.

« Clémentine serait contente, pense-t-il. Une touche jaune moutarde sur son bureau verni. Bon, bien, je les cueille. Elle rira de mon bouquet... Oh ! c'est bas, la terre. Ils sont têtus, ces feuillages-là. Bon, ça y est, me v'là sur le cul, comme dans ma garde-robe la semaine passée. Cicatrice ! Pas capable de me relever. L'infirmière a raison, je fais du ventre. Ils me nourrissent trop souvent aussi…

» Éva ? Mais c'est Éva que je vois ? »

Éva se dandine et se dépêche sur ses talons aiguilles.

« Comment elle fait pour avancer là-dessus en souriant ? » se demande-t-il, le derrière dans les pissenlits.

Antoine tente un cri désespéré :

« Éva ! Éva !

— Pépère ? Qu'est-ce que tu fais là ? Tu veux m'offrir des pissenlits ? Saint bordel ! Ça fait longtemps qu'on m'a offert une poignée de fleurs. D'habitude, on me lance une poignée de billets, puis j'effeuille autre chose que de la verdure. Je suis à tout le monde, je serai jamais à personne.

— Moi pareil !

— J'ai jamais tenu mes promesses !

— Moi non plus !

— Mais je t'en passe un papier que ça me fait plaisir de te remettre sur pieds. Allez. Hop ! Aide-toi un peu, vieux ! Tu rapetisses pas avec l'âge. Comment va "la mailloche" ?

— Elle s'y repose. »

La deuxième épreuve et deuxième moitié du boulevard se fait sous escorte.

- J'ai pas envie de travailler. Je viens du Palais.

« Dis-moi pas que tu te tiens dans un palais !

— On m'a relâchée. Faute de preuve, que le juge a dit. Ça m'a fait rire. Mais "les chiens", eux autres, ça les a fait chier. »

Éva annonce à Antoine, l'air égaré, à son bras :

« Pépère, tiens-toi bien, je t'amène manger chez le Vietnamien. J'ai pas le cœur ni le corps au travail, je te dis. C'est à cent mètres. Viens. Viens. »

Il la regarde incrédule puis lui emboîte le pas comme un enfant ravi.

« C'est pas croyable toutes les couleurs de peau qu'on voit à Montréal. J'ai pas connu ça aux Cascades.

— Toutes les couleurs puis toutes les manières, pépère. Je peux te dire, j'en sais quelque chose. »

Éva ajoute avec un air snob :

« Ma profession se mondialise. »

Antoine songe un instant à la grosse femme qu'on avait décrété être sa blonde et chez qui son frère le conduisait le dimanche après-midi dans l'espoir qu'il se marie un jour, comme tout le monde. Celle qui trottine avec lui aujourd'hui l'a elle-même choisi, cette fois. Il en éprouve une grande fierté. Il emploie toute l'énergie dont il dispose à mettre un pied devant l'autre.

Éva s'applique à faire passer Antoine sans trop de mal dans la porte du resto vietnamien. L'Asiatique, qui règne là comme une reine abeille sur sa ruche, a tôt fait de diriger le couple insolite qui s'amène vers une table à l'écart. Antoine s'assoit avec un soulagement évident. Il se sent perdu dans le décor. Éva lui apparaît pâle et fatiguée sous les néons.

« Trouves-tu ça drôle, pépère, de manger des nouilles, de la viande et de la salade pêle-mêle ?

— Bof ! J'avais déjà inventé ce plat-là dans le temps que je me faisais à manger. Moins de vaisselle comme ça ! »

Éva raccompagne Antoine jusqu'à la porte de la résidence de Sylvio et lui donne un baiser sonore sur la joue. Il en reste béat.

« Bon après-midi, pépère. Quand je t'ai vu, j'ai eu envie de te donner des petites attentions, à toi, au lieu d'en vendre à d'autres. »

Sylvio, à qui Antoine raconte son escapade avec Éva, n'en croit pas ses oreilles. Il en ressent de la jalousie à l'égard de son frère. Malgré le fait que la vie l'intéresse moins, vu son âge.

« Puis à part de ça, Sylvio ?

— Ah, tu sais, j'ai hâte au grand silence. J'ai plus bien gros envie de me forcer pour vivre. Je m'encombre moi-même. À quatre-vingt-neuf ans, je suis assez usé. J'ai l'impression de plus servir à grand-chose.

— Ouais... tu as toujours été le plus charmant de la famille.

— Mais pas le plus drôle. Pas le plus patient non plus.

— Pas nécessaire d'être patient où tu t'en vas.

— Tout le contraire. Rien dit que je vais pas du bord du "yâbe". Mais veux-tu me dire à quoi le charme va me servir là ?

— On sait jamais. T'as déjà séduit ça, des diablesses.

— Ouais. Parle pour toi. »

Antoine s'inquiète tant de la traversée du boulevard qu'il écourte sa visite chez Sylvio. Au retour à sa résidence, son port d'attache, il dit se mourir de fatigue.

Clémentine lui demande affectueusement :

« D'où tu viens, gros crapaud ?

— Ah, Clémentine, j'ai fait le tour du globe. J'ai mangé au Viêt-nam. Éva m'a donné ses services, pour rien. J'ai rencontré toutes les races de monde. J'ai côtoyé la mort. Demain, je retournerai dans le jardin te cueillir des fleurs champêtres.

— Vieux farceur, va ! Mais... pas par la racine que je les verrai ?

— C'est fatigant, aller aux fleurs. »

* * *

Une semaine plus tard, Sylvio fait un effort pour sortir visiter son frère cadet hospitalisé pour des difficultés respiratoires. Il y rencontre Clémentine, toute en recommandations au chevet de son gros crapaud.

Aussitôt qu'il aperçoit Sylvio, Antoine entreprend de lui donner des consignes pour aller aux pissenlits.

« Il perd la carte, ma foi !

— Au contraire, Sylvio, il a l'air de prendre ça bien au sérieux.

— Au coin de De Bullion... Attention de tomber... Éva

avec ses aiguilles… Tout dans le même bol… Pas les racines…

Antoine, les yeux hagards, tout essoufflé, fait pitié à voir. Sylvio le fixe, navré. Clémentine cache mal sa peine.

* * *

Le lendemain à l'aube, Clémentine en route pour l'hôpital bute sur Sylvio à quatre pattes dans les pissenlits du terre-plein.

« Qu'est-ce que tu broutes de si bon matin, Sylvio ? »

Au même moment, Éva apparaît, les yeux pochés, en pleine ronde de jour.

« Bien, Cyclone ! Clémentine, je te présente Éva, une collaboratrice du temps que je tenais ma maison de chambres. »

Ils placotent tous trois, qui se serrant les coudes, qui rentrant les fesses, qui se tassant les aiguilles. Sur place, nez à nez, ventre à ventre, sur le terre-plein chiche, au coin de René-Lévesque et De Bullion.

Impossible de savoir qui a eu le bouquet : Antoine, Éva ou Clémentine.

* * *

Foi de moi-même, je ne peux abandonner ces quatre personnages : ni Antoine à l'hôpital ni les trois autres sur le terre-plein.

Puisque j'adore le décorum, j'appose mon serment, celui qui clôt légalement chacune de mes transcriptions sous peine d'annulation :

Je soussignée, Florence D'Aoust, sténographe officielle, certifie que les pages qui précèdent contiennent la transcription... parallèle et délinquante de mes notes, que je propose comme la seule authentique et fidèle à la réalité.

Et j'ai signé,

Florence D'Aoust, s.o.

Enfin j'ai écrit. En toutes saisons.

Je m'évade. Sous le nez de mon monstre. En toute impunité. En toute justice. Le tout selon la loi.

Notice bibliographique

Les textes des pages suivantes ont déjà été publiés sous forme de nouvelles :

p. 55 : dans *Les saisons littéraires,* no 6, 1996, sous le titre *À l'affût*

p. 73 : *id.* sous le titre *Hydromel*

p. 117 : dans *Brèves littéraires,* vol. 11, no 3, 1997, sous le titre *Yvonne*

p. 139 : dans *Détente,* vol. 16, no 1, 1992, sous le titre *Antoine et les pissenlits*

Achevé d'imprimer en août 2000
chez Ginette Nault et Daniel Beaucaire
à St-Félix-de-Valois, Québec